*f*éeries
noires

André Truand

féeries
noires

Stanké

Données de catalogage avant publication (Canada)

Truand, André, 1964-
  Féeries noires
  Poèmes

  ISBN 2-7604-0820-5

  I. Titre.
PS8589.R699F43 2001   C841'.54   C2001-940870-6
PS9589.R699F43 2001
PQ3919.2.T78F43 2001

ISBN 2-7604-0820-5

Le Conseil des Arts | The Canada Council
DU CANADA | FOR THE ARTS
DEPUIS 1957 | SINCE 1957

*Les Éditions internationales Alain
Stanké remercient le Conseil des Arts
du Canada et la Société de développement des entreprises culturelles
(SODEC) de l'aide apportée à leur
programme de publication.*
*Nous reconnaissons l'aide financière du gouvernement du Canada
par l'entremise du Programme d'aide au développement de
l'industrie de l'édition (PADIÉ) pour nos activités d'édition.*

Les Éditions internationales Alain Stanké
615, boul. René-Lévesque Ouest, bureau 1100
Montréal (Québec) H3B 1P5
Téléphone : (514) 396-5151
Télécopieur : (514) 396-0440
edition@stanke.com
www.stanke.com

Stanké International
12, rue Duguay-Trouin
75006 Paris
Téléphone: 45.44.38.73
Télécopieur: 45.44.38.73

IMPRIMÉ AU QUÉBEC (Canada)

Diffusion au Canada: Québec-Livres
Diffusion hors Canada: Inter Forum

Pour Mlle Andrée Pépin
    (la fille aux cheveux
    carotte avec de la
    crotte de fromage
    dans les oreilles)

Programme

* *

*

Avant-propos

Je devais avoir un peu plus de seize ans et un peu moins de trois poils au menton lorsque l'Évidence me dégringola subitement sur le crâne dans un fracas feutré : je deviendrais écrivain ou rien. J'ai appris depuis qu'on pouvait aisément concilier ces deux états sans trop se damner à la tâche.

Ma résolution prise, tout alla très vite — et très mal. J'abandonnai assez rapidement l'école, que j'aimais passablement buissonnière, et un poste de pompiste à temps partiel à la station-service paternelle, de laquelle mon pauvre père ne s'était jamais résolu à me virer. Un sens pur et dur des convenances m'enjoignait de tout envoyer paître, de suivre mon étoile et d'apprendre sans plus tarder mon métier sur le tas. *Sur le tas* : ces trois petits mots suffisaient à me plonger pour des heures dans des abysses de ravissement dont rien ni personne ne pouvait m'extraire...

Conscient que mon niveau de vie décent nuirait à ma légende future, je désertai le toit familial et pris la route, débordant d'une confiance parfaitement suicidaire dans l'avenir. Ma fidèle Smith-Corona sous un bras, une valise pleine de torchons prometteurs sous l'autre, je cinglai vers la grande ville, friand de pittoresque, en quête de quelque humble logis suintant la bohème — rapport sous lequel eut tôt fait de me combler un destin facétieux.

Mes économies fondues, mon exaltation retombée, je me trouvai réduit, comme le commun des mortels, à la cruelle nécessité de gagner mon pain à la sueur de mon rond. J'exerçai alors de nombreuses occupations qu'une amnésie sélective drape du voile pudique de l'oubli. Çà et là, de loin en loin, me foudroyent pourtant des visions fugitives: tantôt un énorme évier plein de casseroles crottées, tantôt de lourds sacs de prospectus publicitaires...

Un jour, au terme d'une énième entrevue, je conquis de haute lutte une place de commis-caissier à l'emploi d'une modeste librairie montréalaise. Comparée à mes jobs précédents, cette position signifiait pour moi une formidable promotion sociale. J'ignorais encore que vendre des livres ou des pastèques revient au même, du moment où l'on vous interdit de goûter aux uns ou aux autres dans l'exercice de vos fonctions.

Vider des caisses, remplir, poster, empiler des caisses: mon imagerie romantique du métier de libraire en prit vite pour son rhume. Le malicieux destin évoqué plus haut n'en finissait plus de me mettre en boîte. Malgré les apparences, ma situation de future sommité du monde littéraire n'avait pas avancé d'un traître micron. Pis encore, j'étais désormais contraint de vendre le jour des livres que j'étais trop fatigué pour écrire le soir venu.

Quelques mois de ce rude et sain labeur me pénétrèrent d'une Seconde Évidence: jamais la condition de journalier ne me permettrait de consacrer le plus clair de mes énergies à l'assouvissement de ma noble vocation. Évidemment, j'aurais pu, tout bonnement, très bêtement, quitter cet emploi et me livrer à l'écriture corps et âme — quitte à vendre l'un à la science et l'autre au diable afin de m'assurer une minimale pitance. Toutefois le souvenir des sombres disettes d'un passé encore trop présent me poussait instinctivement à m'agripper à ma place de libraire tel un naufragé à sa bouée très chère. Et tant pis pour mon Roman, l'Œuvre colossale, mythique, par laquelle mon nom accéderait à la postérité et mes cendres, au Panthéon.

En attendant, il fallait tout de même vivre, et vivre c'était — et c'est d'ailleurs toujours et d'abord et surtout — écrire. Tournant hardiment le dos à la Somme De Toutes Les Sommes, je ramenai mes folles prétentions à de plus sages ambitions.

«Couillon! soliloquai-je en mon for intérieur. Que t'importe d'accoucher d'une nouvelle Comédie humaine ou d'un modeste haïku puisque, au fond, seul compte le plaisir de la création?

«Ne serait-ce pas déjà bien beau de pondre, chaque semaine, une simple vétille, une aimable galipette, une calembredaine jolie, une anodine énormité... Ce que ce cher Queneau appelait plaisamment un texticule?»

C'est donc dire que rien n'a présidé à la création de ces *Féeries noires* que cette notion de plaisir — et le désir de garder bien vivante, bien dansante et bien brûlante la flamme bienfaisante de l'écriture.

Parfois saugrenus, souvent acidulés, toujours anthracites, ces textes présentent tous le même petit air de famille, chacun puisant son origine à ce même besoin vital: racheter par une heure volée à la fiction une journée sacrifiée à la réalité.

Puissent, enfin, ces petits contes de fées pour grandes personnes, toutes ces plaies, bosses et ironies bénignes vous faire oublier quelques instants les assauts taquins du destin puisque — Ultime Évidence — voici venu le tour des «êtres de papier» d'en prendre plein la gueule!

* *

*

Boulevard du crime

ORDRE D'AUTOMOBILISATION

(pour affichage immédiat)

Tous les petits **piétons d'argile** seront dorénavant **immobilisés** sur la **voie publique** (voies urbaines et réseaux routiers suburbains) afin de servir de **cibles** aux **chauffards** fous.

Le **Ministère de la Circulation** estime que cette mesure favorisera l'**extinction des piétons** nuisibles tout en accroissant l'**espérance de vie de l'automobiliste** moyen, lequel n'est désormais plus tenu de faire des roues et des freins pour contourner lesdits piétons. D'où **baisse notable** d'accidents, collisions, tonneaux, carambolages et, par voie de conséquence, de télescopages, embouteillages et autres corollaires panurgiques.

Le **nettoyage de la voie publique** (voies urbaines et réseaux routiers suburbains) s'effectuera de nuit par un ingénieux système de rotation qui n'occasionnera **aucun désagrément** pour l'automobiliste.

Diverses **primes** et **gratifications** seront offertes aux **chauffards méritants**. Une **limite de piétons-heurtés** sera néanmoins subséquemment déterminée afin d'éviter des **situations malencontreuses** (tueries massives aux abords des écoles et hôpitaux, concours amicaux, convoitises, émulations, etc.).

Les **piétons récalcitrants** feront l'objet de **poursuites** (comparution sur une aire de course préalablement désignée) et les **contraventions** seront désormais **abolies**.

Le Ministère de la Circulation

SOUS MA PEAU

Je tue comme je respire
sans m'en rendre bien compte
et tous ces tués m'inspirent
le cri du cœur ci-contre:
Sous ma peau c'est plein d'autres!
C'est pas moi! C'est leur faute!
L'un de ces p'tits poisons
saigne de gras bourgeois
gratuitement, sans raison,
que pour se mettre en joie
Un autre de ces ogres
au bistouri mutin
à la levée du fog
éventre des putains
Parmi tous ces vicieux
monstre quel mièvre mot
pour dépeindre l'odieux
désosseur de marmots
Il en est dans le nombre
un qui fait dans le gros
dégommant à la bombe
faste-foude et bistros
D'entre tous ces tordus
un émule de Landru
fait cuire dans leur jus
ses maîtresses déchues
Et cet autre qui scie
et cet autre qui ça
ces autres à l'infini
qui tuent à hue à dia

La nuit où sur la Chaise
fatalement je frirai
telle une vulgaire merguez
vous m'entendrez crier:
C'est pas moi! C'est leur faute!
Sous ma peau c'est plein d'autres!

*   *

*

BLACK & JACK, CRAVATES

De tous les marchés du textile, celui de la cravate est le plus implacable. La concurrence se montre impitoyable, rarement loyale, souvent fatale, et le concept de fair-play y est inconnu. La preuve en est que tous les jours l'une ou l'autre maison, ruinée, doit plier cravates et fermer boutique.

Prise de court par les tendances nouvelles, rongée par les déficits accumulés, la maison Black & Jack s'apprêtait à son tour à déclarer faillite. Partenaires à parts égales dans l'entreprise, Black et Jack se séparèrent un soir en se disant tristement: «C'est pour demain...»

Cette nuit-là, Jack fit un songe étrange. Il y vit, dans un luxe inouï de détails, le funèbre cortège des employés de la maison suivant, dans le petit matin gris, un cercueil en forme de cravate que tiraient Black et lui-même en hennissant.

Il s'éveilla, baigné de sueurs toutes chaudes encore. Ne venait-il pas de se pendre, au côté de Black, à la branche d'un chêne énorme? Jack bondit de son lit et se dit que ça ne se passerait pas comme ça. C'est à ce moment d'intense élévation spirituelle que fleurit sur ses lèvres le slogan salvateur:

Les cravates Jack, celles qui passent à l'attaque!

Incidemment, Black avait fait le même rêve et en était évidemment arrivé aux mêmes conclusions — à une variante près:

Les cravates Black, celles qui passent à l'attaque!

Jack en conçut une vive amertume. Black, qui était perspicace, le comprit et suggéra un compromis:

Les cravates Black & Jack, celles qui passent à l'attaque!

... lequel eût pleinement satisfait Jack, en autant que fût interverti l'ordre de leurs noms. On en vint très vite à l'impasse. Chacun tenait tête à l'autre, sûr de son bon droit. Puis Black céda, parce que Jack venait de l'étrangler.

Le premier émoi passé, l'astucieux Jack fixa le bout d'une cravate à la suspension, l'autre au cou de son défunt associé, plaça une chaise sous celui-ci, la renversa, prit du recul pour juger de l'effet obtenu et le trouva si réussi qu'il fut découvert évanoui aux pieds de Black, décidément très crédible en pendu.

Exonéré de tout blâme, Jack lança quelques mois plus tard sa cravate sur le marché, appuyée par une campagne publicitaire musclée. Le slogan fameux fit date, et la cravate Jack©, recette. Rares et méprisés furent ceux qui ne la portèrent pas.

Consécration ultime, la cravate Jack© fut sacrée «cravate of ze year in zi world».

Le soir même de cette annonce, après un coquetèle donné en son honneur, Jack fut découvert affalé comme une flaque dans sa chambre d'hôtel, la figure bleue et la langue longue. La police conclut à un meurtre par strangulation et le détective chargé de l'enquête ramena chez lui la seule pièce à conviction: une cravate Jack©. Pas plus que Jack, ce détective ne connut à nouveau la joie de se lever du bon pied, ou même de se lever tout court.

Le monde allait prendre encore quelques heures à se rendre un compte exact du phénomène.

Les cravates venaient *vraiment* de passer à l'attaque.

* *
*

LE RETOUR DU FILS
DE L'HOMME-SANDWICH

L'Ouest
ses pasteurs et ses putains
ses justiciers et ses desperados
ses chasseurs de primes et ses shérifs
ses aventuriers et ses mésaventuriers
L'Ouest
ses duels et ses tueries
ses guets-apens et ses pillages
ses requiems et ses lynchages
ses scalp partys et ses sympathiques
   Apaches
L'Ouest
ses salounes et ses prisons
ses banques et ses cimetières
ses puits de pétrole et ses mines d'or
ses relais de diligence et ses chemins de fer
L'Ouest
ses petites joies et ses petites peines
son eau courante et ses bals-musettes
ses descentes de lit et ses grandes pyra-
   mides
ses buffets Henri IV et ses tournois de cro-
   quet
L'Ouest
son nord
son nord et son sud
terre aride et combien pourtant fertile
contrée sauvage et combien néanmoins hos-
   pitalière
et quétéraille et quétéraille
tout ça et beaucoup plus encore

L'Ouest comme si vous étiez
mais vous n'y seriez pas longtemps
la bourse ou la vie et rarement la bourse
frissons garantis et jamais d'argent remis
Voyez plutôt...

Les battants de la porte du saloune grincent
    un tantinet plus fort que d'habitude
et les habitués de la place tournent la tête un
    grantinet moins vite qu'à l'accoutumée
Du lot deux ou trois se hasardent à péter un
    petit quelque chose de leur
    composition
Mais l'heure n'est pas à la musique aussi ser-
    rent-ils les fesses et ouvrent-ils grands les
    yeux
Nom d'un doigt dans l'œil
c'est *lui*
Il est revenu
et s'*il* est là c'est donc qu'*il* est de retour et
    s'*il* est de retour ce n'est pas simplement
    pour qu'on dise après son départ:
il a été de retour
Non
Si le Fils de l'Homme-Sandwich s'amène en
    ville c'est pour régler un compte
le compte de Joe
Joe Rabajoy
la crapule qui a scrupuleusement assassiné
    Papa et Maman-Sandwich sous ses
    propres yeux qu'il avait alors clos car il
    était encore au berceau et faisait dodo tan-
    dis que Papa-Sandwich était en haut qui
    faisait du gâteau et Maman-Sandwich en
    bas qui faisait du chocolat
Le Fils de l'Homme-Sandwich s'avance à
    petits pas comptés dans le saloune

Mais allez donc demander à un homme qui
fait 99 centimètres d'enfourchure d'avan-
cer à petits pas comptés vers l'assassin de
son papa et de sa maman
Au bar
accoudé
un homme
le seul qui ne s'est pas retourné et qui n'a
pas exagérément intérêt à le faire
cet homme cherche dans le fond de son
verre de quoi en payer le contenu
Une voix tonne derrière lui et cette voix
le fracas des chutes Niagara en plus articulé
cette voix est celle du Fils de l'Homme-
Sandwich

Joe
(silence étonné)
Oui
Toi
(silence inquiet)
Joe Rabajoy
(silence dorénavant parfaitement terrifié)
Je suis revenu
je suis revenu te rabattre le caquet

Rabajoy n'en mène pas large
De grosses gouttes de peur froide dégouli-
nent en impétueuses cascades du bout de
son nez et diluent son double-ouisqui
Hormis la teinte rougeoyante de cet appen-
dice il est blanc comme un drap et ce drap
n'est pas beau à voir
Sa main glisse imperceptiblement vers sa
ceinture vers son colt
Peut-être a-t-il simplement envie de se gratter le nombril

mais le moment est mal choisi pour se
secouer les puces
Le Fils de l'Homme-Sandwich n'a rien vu
mais tout prévu
Il n'est pas tombé de la dernière pluie et
c'est peu dire
car il ne pleut pas souvent sur l'Ouest
D'une balle bien placée il casse la patte du
filou et
bien que le filou lui tourne le dos
la balle n'a pas besoin de traverser le filou
Elle connaît son boulot
elle fait le tour du destinataire
elle négocie un virage à angle droit
elle ne veut pas se salir la balle
c'est une bonne petite balle
d'un calibre respectable et respecté
Mais Joe Rabajoy est résolu à vendre chèrement sa peau ou du moins à en retirer un
léger bénéfice
À genoux il implore pitié demande clémence
bavote pardon
Pour toute réponse le Fils de l'Homme-
Sandwich lui expédie sous pli cacheté sa
botte secrète en pleine poire
et les molaires à Rabajoy de se balader aux
quatre coins du saloune pour échouer dans
douze crachoirs distincts
La clientèle
par tact
entreprend alors un mouvement de repli
massif vers la sortie
Que personne ne bouge
dit le Fils de l'Homme-Sandwich en mâchant
et recrachant chaque mot
Et c'est dit si simplement
si poliment

si gentiment
que personne ne bronche
et que ceux dont les pieds se trouvent à ne
    pas toucher terre
restent aimablement suspendus dans les airs
Une tournée générale
annonce le Fils de l'Homme-Sandwich au
    barman qui ne se le fait pas dire deux fois
Et tout le monde
pasteurs et putains
justiciers et desperados
chasseurs de primes et shérifs
aventuriers et mésaventuriers
boit à la santé du Fils de l'Homme-Sandwich
une tournée qui
des confins de la Californie aux limites du
    Missouri
interrompt duels et tueries
guets-apens et pillages
requiems et lynchages
scalp partys et supplices apaches
Et lorsque tout le monde a bu
Joe Rabajoy
jusque-là très discrètement étalé sur le plan-
    cher tel une bouse de vache
Joe Rabajoy renoue connaissance avec sa
    conscience
juste à temps pour voir le Fils de l'Homme-
    Sandwich glisser ses dernières lames de
    rasoir entre les touches du piano
juste à temps pour se faire demander
simplement
poliment
gentiment:
Et si tu nous jouais un petit air?

* *
*

PETIT JOUR

Papa! Papa!
crie le condamné

Désolé, fiston...
sanglote le bourreau

Bourreau d'enfants!
peste sa moitié

Amen
dit l'aumônier

Brrr
fait le vent
glacé.

*   *
*

LA BOURRÉE DU BOURREAU

Histoire de commencer du bon pied
cette nouvelle journée de charnier
un petit voleur de grands chemins
deux grands violeurs de petits chemins
trois jeunes qui rêvaient du trône
quatre vieux qui faisaient l'aumône
et cinq ou six ou sept cents vassaux
qui refusaient de payer l'impôt

   Majesté j'en ai ras la cagoule
   de couper le cou de vos sujets
   À force de trancher tant de sifflets
   j'en ai les paumes pleines d'ampoules
   Messire c'est pas des poulets
   mais des gens comme vous et moi
   Pardon majesté c'est vrai
   j'oubliais que vous étiez le roi...

Histoire de ne pas perdre la main
en becquetant je coupe mon pain
Un coup de rouge et vite au boulot
retroussons nos manches de bourreau
Que voilà de nobles nuques
c'est la tournée des grands ducs
et de ces chauds lapins de garenne
qui courtisaient de trop près la reine

   Majesté j'en ai ras la cagoule
   de couper le cou de vos sujets
   À force de trancher tant de sifflets
   j'en ai les paumes pleines d'ampoules
   Messire c'est pas des poulets

mais des gens comme vous et moi
Pardon majesté c'est vrai
j'oubliais que vous étiez l'État...

Un coup de plumeau sur le billot
pour le suivant ça fait moins salaud
Soyons démocrates et faisons place
aux petites gens de la populace
les commerçants aux mains blanches
les artisans aux doigts d'ange
et bien d'autres innocents du canton
que pour votre amour des chiffres ronds

Majesté j'en ai ras la cagoule
de couper le cou de vos sujets
À force de trancher tant de sifflets
j'en ai les paumes pleines d'ampoules
Messire c'est pas des poulets
mais des gens comme vous et moi
Pardon majesté si ma hache
fait sur votre pourpoint cette tache...

TCHAC!

* *
*

LE PETIT CHAPERON NOIR

Le rideau de scène figure une jolie clairiè-
re au cœur d'un boisé bucolique. La «caba-
ne» du Juge est une modeste résidence d'été
de trente-deux pièces ceinte d'une muraille
hérissée d'éclats de maillet.

Côté boisé, contre la muraille, est adossée
une échelle que nous empruntons pour
pénétrer dans la propriété du juge. Côté
résidence, au pied du rempart, gisent une
demi-douzaine de molosses endormis par
l'absorption de boulettes de viande dodori-
fères.

Sur le gravier de l'allée menant à la porte
principale de la «cabane», des traces de pas
(menus)... Afin de ne rien rater du spectacle,
enjambons le cadre de cette fenêtre — qui
donne fort opportunément dans la chambre
du juge — et dissimulons-nous derrière une
lourde tenture.

Le Juge est alité, légèrement enrhumé et
feignant l'agonie. On toque à la porte.

LE JUGE
Tire la guillotine et la couperette cherra!

Le Petit Chaperon noir entre, l'air pas com-
mode. Talons aiguilles, bas résille, jarre-
telles: Chaperon a vieilli.

Ah! C'est toi, mon enfant...

CHAPERON
Salut, vieille canaille!

LE JUGE
Comme te voilà devenue grande... Où donc ai-je fourré mes verres de contact... *(Il cherche et renonce.)* Eh merde! C'est pas grave, approche-toi, mon enfant... Viens, n'aie pas peur. *(Ton un rien plus lubrique, incursion tactile)* Comme tu as de beaux... de beaux...

CHAPERON
Bas les pattes, crevure!

LE JUGE
On n'est plus le Petit Chaperon rouge à son grand-papinou?

CHAPERON
Ta gueule, vestige!

LE JUGE
Oh. *(Émoi sincère)* Ah bon. *(Nouvelle reconnaissance tactile)* Et pourtant...

Taloche vigoureuse de Chaperon sur les doigts magistratiques.

CHAPERON
J'ai dit pas touche! Ce n'est pas l'agence qui m'envoie. Aujourd'hui, je viens pour mon plaisir, pas le tien!

LE JUGE
Ah bon, ah bon... Je ne me rappelais pas non plus avoir appelé. Dans mon état...

Petite quinte de toux douteuse.

Et pourtant, c'est bien toi, mon Petit Chaperon rouge...

CHAPERON
Erreur: aujourd'hui, il est noir!

LE JUGE
Et pourtant, tout ce rouge...

CHAPERON
Erreur: c'est du sang!

LE JUGE
Et pourtant, ce panier...

CHAPERON
Erreur: c'est une corbeille!

LE JUGE
Et pourtant, cette galette...

CHAPERON
Horreur: c'est une tête! La tête de mon amoureux, mon amoureux qui est mort. Tu avais demandé sa tête, alors je te l'ai apportée.

Chaperon projette la tête de son amoureux au crâne du Juge.

Au plaisir de ne plus te revoir!

Chaperon sort en claquant porte et talons; lui succède presque aussitôt le Loup, l'air guère plus avenant que Chaperon.

LE JUGE
Ah, Chaperon, te voilà revenue! Laisse-moi tout t'expliquer, ma petite chatte!

LE LOUP
Chatte mon cul, vieux fou! Je suis le Loup!

Retraite préventive de Son Honneur sous les draps de son lit. N'en émerge plus qu'un nez rouge et morvoyant.

Chaperon m'a affranchi et je l'en remercie. Quand je pense que je venais pour te manger. Pouah! C'est à se vomir!

LE NEZ DU JUGE
Alors?

LE LOUP
Alors? Rien. À Dieu ou à Diable, vieille carne.

Le Loup sort à son tour, sans façon. Le Juge extirpe sa tête des draps et balaie la pièce du regard.

LE JUGE
Hé, Loup! Attends! Reviens! J'aurais un boulot pour toi! Les juges et les loups sont faits pour s'entendre, non?

Surgit le Chasseur, l'air pas fraternel et en proie à une grande nervosité.

LE CHASSEUR
Hélas, peut-être arrivé-je trop tard... *(Apercevant le Juge)* Ouf! *(S'approchant prudemment du Juge et le regardant sous le nez)* Ah! Quelle horrible vieille bête!

LE JUGE
(désireux de tuer dans l'œuf toute méprise)
Monsieur, il y a erreur... Je ne suis pas le Loup!

LE CHASSEUR

Bien sûr, que tu n'es pas le Loup! Je viens de le croiser. Toi, tu es le Juge!

LE JUGE
(pas sûr d'avoir tout bien suivi)
Alors?

LE CHASSEUR

Alors: ouf! J'avais simplement peur que quelqu'un t'ait déjà tué. Ou que tu sois mort de ta belle mort.

LE JUGE
(triomphant)
Eh bien non, voyez!

LE CHASSEUR
(exultant)
J'y remédie sur-le-champ!

Le Chasseur empoigne sa carabine et met le Juge en joue. Nouvelle retraite préventive de Son Honneur sous Ses draps.

LE JUGE

Mais on ne tue pas les gens comme ça, sans jugement! La preuve, je ne les fais tuer qu'après les avoir jugés! Je réclame un avocat! Au secours! Je ne suis qu'un pauvre juge sans défense!

Le Chasseur tire le magistrat à bout portant. Un peu d'agitation sous les draps, puis plus rien. Le Chasseur s'assoit sur le pied du lit et s'éponge le front.

Le Loup pousse la porte de la chambre et vient poser sa patte sur l'épaule du Chasseur.

LE LOUP

Vous frappez pas, mon vieux. Vous avez fait pour le mieux. Combien d'autres innocents aurait-il tués?

LE CHASSEUR
(reniflant le Loup)
Quel capiteux parfum...

LE LOUP
(haussant les épaules)
C'est Chaperon... Elle m'a supplié de la manger. Le Juge a tué son amoureux...

LE CHASSEUR
(un éclair dans l'œil)
Chaperon, de l'agence 7e Ciel?

LE LOUP
Euh... Oui. Vous la connaissiez?

LE CHASSEUR
Si je la connais...

Le Chasseur ouvre la panse de Loup de bas en haut et extrait d'entrailles fumantes un Petit Chaperon noir rouge de sang mais entier.

CHAPERON
(troublée)
Chasseur! Vous, ici!

LE CHASSEUR
Chaperon, mon amour!

Étreinte éperdue sur la peau du Loup. Du bonheur s'ensuit, des enfants aussi.

Depuis, Chaperon a définitivement renoncé à la prostitution et le Chasseur continue à tuer régulièrement des juges.

Tout le monde au lit!

*   *
*

HOMME À PENDRE

Pour HSG

Le pendu se dit qu'on s'est donné
beaucoup de mal pour le tuer
Lui-même ne s'en est pas donné autant
pour se retrouver ici
Tout ça à cause d'un tout petit crime
une petite crise de légitime démence
une vulgaire histoire de cornes
à peine digne d'un vieux bout de corde
Un simple triangle converti
d'un seul coup de browning
en une très plate droite rectiligne

Résumons les faits Votre Honneur
Un homme
une femme
chabadabada
et puis un autre homme
Un homme en trop
une petite balle
dans un tout petit crâne
Un homme en moins
un tout petit trou
dans une cervelle d'oiseau
Un peu de sang sur un drap
un petit froid dans le dos
pas de quoi en faire tout ce plat

Mais il y a tant de justiciers
un justicier chez chaque voisin
un justicier par voisin...

Le jury sur son banc
le juge sur sa chaire

les avocats dans leur robe
le monde fou dans la salle
et aussi l'accusé dans son box
très détaché malgré ses menottes
tout le monde a l'air enchanté
L'affaire est entendue
l'atmosphère détendue
l'accusé distraitement défendu
Tout le monde sait ce qu'il a à faire
le jury à délibérer
le juge à condamner
la défense à en appeler
la salle à saliver
et l'accusé à périr pendu

Les enfants veulent voir le pendu
les hommes les femmes les vieillards
tous veulent voir le pendu
Ils viennent parfois de loin
des campagnes et des villages voisins
Il y a même des étrangers venus de cantons
    lointains
Parce qu'ils n'ont pas de pendu chez eux
ils viennent les voir se faire pendre ailleurs
Les commerçants ferment leur commerce
le poissonnier sa poissonnerie
le pâtissier sa pâtisserie
le boulanger sa boulangère
Même le boucher quitte sa boucherie
c'est pour vous dire
La pendaison a lieu le matin très tôt
sur la place du marché
dans une mer de légumes et de fruits
Les gens pique-niquent
les marchands prospèrent

la perspective de voir un homme chier dans
son froc en mourant par asphyxie ne
semble couper l'appétit de personne

Il y a des policiers beaucoup de policiers
un policier par individu
un policier chez chaque individu

Les hommes en hommes du monde
les femmes en femmes d'hommes du monde
l'aumônier en homme de l'autre monde
et le pendu en fin du monde
tout le monde est endimanché
Il y a les notables sur une estrade
il y a le bourreau sur l'échafaud
il y a les gens sur leurs pliants
Tout le monde semble y être
et tout le monde croit qu'on peut y aller
et de fait on y va ça y est

Les oiseaux chantent sans un son
Le soleil brille sans un rayon
Le temps s'est pendu à la grosse aiguille des
heures

Et seul un aveugle se demande un peu ce
qu'il est venu fiche là.

*　　*
*

L'AGENCE DU CRIME PARFAIT

(Prospectus publicitaire)

VOUS! OUI, VOUS!

Vous êtes **assassin** et vous y prenez mal?

Vous voulez le devenir et n'y entendez rien?

Un être qui vous serait plus cher **mort que vif** vous gêne?

Mais voilà...

Ce tout premier meurtre vous remplit d'**appréhensions**...

Comme nous vous **comprenons...**

Comme nous sommes faits **vous et notre agence** pour nous entendre!

LAISSEZ-NOUS ÊTRE PARFAITS
POUR VOUS!

Distraction, nervosité, nonchalance, panique, témérité, insconscience, suffisance...

Autant de facteurs qui guettent et conduisent à leur perte le néophyte téméraire ou le vieux routier au détour du retour d'âge!

Que d'Étrangleurs de Boston, que d'Éventreurs du Devonshire, que de Bouchers de La Villette bêtement sacrifiés!

Que de nobles aspirations mortes dans l'œuf par manque de soutien technique psychologique et/ou financier!

Si certains naissent criminels, très peu d'entre nous naissent parfaits et la réunion de ces deux qualités est à ce point rare qu'elle nous a convaincus de cette impérieuse nécessité:

créer et promouvoir l'*Agence du Crime Parfait (S.A.)*.

<u>NOUS SOMMES DERRIÈRE VOUS!</u>

Finies les traces de doigts et de pas sottement semées derrière vous!

Fini l'ADN abandonné à la convoitise des laborantins de la Police technique!

Fini le couteau étourdiment laissé entre les omoplates de vos victimes!

Une fois pris en charge par notre équipe de professionnels, vous n'aurez plus à vous soucier des précautions élémentaires sans lesquelles vous seriez aisément retracé, arrêté et formellement accusé de meurtre.

Assouvissez enfin l'inassouvissable qui sévit en vous!

Pratiquez en toute quiétude votre violon dingue favori...

En toute sécurité!

UNE GAMME COMPLÈTE DE
SERVICES ÉPROUVÉS...

AVANT le crime:

—Initiation au maniement des armes et techniques d'agression;

—Choix de lectures édifiantes et de documentaires pertinents;

—Répétition du crime projeté avec mannequin et décors sous la supervision de nos instructeurs chevronnés.

PENDANT le crime:

—Assistance et/ou supervision par l'un de nos professionnels-sur-le-terrain.

IMMÉDIATEMENT APRÈS le crime:

—Élimination raisonnée et méthodique de témoins gênants;

—Nettoyage soigné des lieux du crime;

—Désinfection intégrale de l'arme utilisée;

—Escamotage de tout indice susceptible d'attenter à votre sécurité.

APRÈS le crime:

—Recrutement de témoins à décharge (dans le cas très aléatoirement exceptionnel d'une enquête policière néfaste à vos intérêts) et confection d'alibis maison;

—Séances vidéo du crime et analyse de la performance par nos experts mandatés;

—Aide psychologique advenant traumatisme résultant des suites du crime;

—Système de gratification (concours *Le Tueur du Mois*) et nombreux prix de participation pour nos membres distingués.

L'OPTION «C'EST PAS MOI C'EST LUI!»

Toujours désireuse de vous offrir un service plus efficace, l'*Agence du Crime Parfait* vous propose également une option audacieuse et friponne à la mesure de vos plus machiavéliques desseins!

La meilleure manière de se disculper d'un crime ne consiste-t-elle pas à en inculper son prochain?

Nos conseillers-scénaristes (experts en homicide) et nos consultants en pièces à conviction brûlent de précipiter la perte de l'être sur lequel il vous plaira de jeter le dévolu de votre haine...

POUR UNE ÉTERNITÉ SANS PERPÉTUITÉ...

Non seulement le crime ne paie pas mais il pourrait vous coûter cher...

Avant de tuer consultez l'*Agence du Crime Parfait* et ses experts!

L'*Agence du Crime Parfait (S.A.)*

*

École agréée

Une tradition d'excellence

Discrétion assurée — Satisfaction garantie

*

Forfait pour famille nombreuse

*

Tarifs spéciaux pour les gens des sphères

politique — financière — juridique

militaire — médiatique

artistique

*

Dites que c'est Paulo-Pieds-Plats qui vous envoie.

*   *

*

L'ART DE FAIRE PARLER LES TÉMOINS

Ingrédients: une pièce close et maladorante; une ampoule sale et nue pendant au bout d'un fil miteux; quatre brutes à mine patibulaire; une chaise bancale; une bonne corde; un témoin de taille et de poids moyens, idéalement muet.

Marche à suivre: ligoter le témoin sur la chaise, l'assouplir et le faire revenir un peu dans son jus. Le laisser répéter quelques centaines de fois qu'il ignore tout de ce qu'on lui veut; l'amicalement tapocher tout autant de fois. Puis, au moment stratégique, débiter à vive allure les répliques suivantes jusqu'à liquéfaction intégrale du témoin:

1re BRUTE
(faussement enthousiaste)
Comme il a l'air sincère de ceux qui en ignorent plus qu'il n'en faut!

2e BRUTE
(hypocritement exaltée)
Comme il a l'air intègre dans sa confidentielle ignardise!

3e BRUTE
(apocryphement extatique)
Comme il a l'air solidaire de son insignifiance intrinsèque!

4ᵉ BRUTE
(authentiquement navrée)
Comme c'est dommage!

À partir de ce moment, le ton des quatre brutes se fait sincèrement mortifié et n'en démord plus jusqu'à la toute fin du touchant récitatif.

1ʳᵉ BRUTE
Ouais. Ce que c'est dommage, tout de même, tout ce beau ciment sottement gâché pour envoyer de négligeables chercheurs de crosses rejoindre la faune aquatique...

2ᵉ BRUTE
Toutes ces balles vainement gaspillées pour réduire à la plus simple expression de la discrétion de trop allègres organes phonateurs...

3ᵉ BRUTE
Toutes ces jolies lames bêtement souillées pour trancher le gésier de taciturnes récalcitrants...

4ᵉ BRUTE
Toutes ces baignoires pleines à ras bord d'une eau navreusement perdue uniquement pour rafraîchir les idées d'invertébrés entêtés...

1ʳᵉ BRUTE
Toute cette précieuse énergie électrique dilapidée à stimuler le cortex d'amnésiques spontanés...

2ᵉ BRUTE
Toute cette bonne corde qui aurait pu faire encore bien de l'usage, abandonnée à de vieilles branches d'arbre pour sécher un peu

de linge suspendu à de jeunes os tout neufs...

3ᵉ BRUTE
Tous ces coups-de-poing américains érodés par un effet de la malchance sur des crânes trop durs...

4ᵉ BRUTE
Toutes ces scies mécaniques brisées, toutes ces perçeuses électriques enrayées, tous ces bons outils performants ruinés par de l'os trop dense...

1ʳᵉ BRUTE
Toutes ces calandres, ces capots, ces ailes de bagnole bosselées par d'insouciants badauds du dimanche...

2ᵉ BRUTE
Toute cette intimidation, toute cette préméditation, toute cette pulvérisation...

3ᵉ BRUTE
Toutes ces sommations, tous ces appels à la raison, toutes ces exécutions...

4ᵉ BRUTE
Pour en fin de compte si peu d'information et de progrès social-démocrate...

1ʳᵉ BRUTE
(feignant d'écraser sous sa paupière une larminette d'émotion pure)
Amis, vous m'avez convaincu. Cessons dès aujourd'hui ce gaspillage éhonté des ressources naturelles de notre patrie et tuons ce malheureux enfoiré à mains nues. À moins, bien sûr, qu'il ne consente à nous

dire, en supposant qu'il le fasse dans la nanoseconde, ce qu'il sait à propos de l'affaire qui nous occupe...

Vous n'avez dès lors plus qu'à tendre l'oreille et recueillir précieusement les aveux du témoin avant d'en disposer et de ranger soigneusement ses restes dans des tas de petits sacs en plastique à fermeture hermétique.

Bonnes révélations, bande d'heureux fripons!

*   *
*

UNE SOMBRE HISTOIRE EN DEUX ACTES

1

il s'est présenté au commissariat il avait un trou dans le dos il avait un poignard dedans il perdait du sang il parlait d'un crime il criait au secours il se disait l'assassin il se prétendait la victime il disait que tout ce qu'il dirait pourrait être retenu contre lui il disait qu'il ne parlerait qu'en présence de son avocat il disait qu'il était avocat qu'il se défendrait lui-même qu'il plaiderait coupable qu'il serait condamné qu'il irait en appel qu'il connaissait des gens qu'il avait le bras long qu'on allait voir ce qu'on allait voir et puis il est mort sans en dire davantage il était mort miné par le remords

2

le policier de quart ne savait trop que faire il a pris un dossier a résumé l'affaire et l'a jeté au feu puis s'est fichu à l'eau sous les yeux révulsés d'un passant médusé qui courut se coucher sous les roues d'un tramway dont l'unique passager se mit à s'étrangler avant de retomber mort à ses propres pieds le seul témoin du drame le conducteur du tram sitôt rentré chez lui se pendit et périt non sans avoir tout avoué à sa fiancée qui se trancha la langue par mesure de prudence avant de se jeter dans le vide étoilé

* *
*

LES ÉTATS DE GRACE

Une vieille tante à héritage
voilà ce qu'était devenue Grace D'Araignée
Autrefois elle avait épousé un prince char-
    mant
plus charmant sur le plan diplomatique
que sur le plan horizontal
et le charme tout doucement s'en était allé
et le prince tout bêtement en était crevé
Certes elle avait recommencé sa vie plu-
    sieurs fois avec plusieurs princes
plus ou moins charmants plus ou moins prin-
    ciers
mais à chaque fois c'était la même ritournel-
    le
tôt ou tard le charme se barrait
le prince crevait sans héritier
le pognon lui revenait à elle
et tout était à recommencer
Aussi
lorsque son dernier prince lui claque dans
    les mains
Grace d'Araignée a du chagrin beaucoup de
    chagrin
tellement qu'à la fin son chagrin lui bouffe le
    cœur tout rond
Bienheureusement
(comme la science
moyennant pognon
a réponse à toute question)
bienheureusement quelques jours plus tard
(ou plus tôt

allez savoir la science est tellement en avance sur son temps)
bienheureusement quelques jours plus tard
ou plus tôt donc bref
Grace reçoit son congé de l'hôpital
sa menue main pressant un amour de petit
cœur flambant neuf
Mais elle est encore bien faible
et si désormais elle a un cœur neuf
elle n'a plus toute sa vieille tête
Alors
comme par enchantement
comme dans les règlements de compte de
fées
apparaissent ses neveux
ses neveux qui se proposent de l'assassister
durant sa convalescence moments incer-
tains qu'il est préférable de trépasser
entouré des siens
ses neveux qui l'accueillent à bras ouverts et
doigts croisés
ses neveux qui l'appellent affectueusement
tatie Tarentule
ses neveux qui se la passent de l'un à l'autre
comme on se passe le sel quand le potage
est trop poivré
Et Grace d'Araignée vieille tante à héritage
chérie vient à prendre du mieux
beaucoup de mieux
tellement de mieux qu'un bon matin elle
bondit du lit
commence à jeter son pognon par les
fenêtres du palais
sous les yeux globuleux de ses neveux nerveux

Le jour même
en mangeant son potage
Grace trouve que ça manque de sel
Elle dit
Ça manque de sel non?
Ce à quoi le majordome lui répond
De sel peut-être de poivre sûrement pas
Ah bon
dit-elle encore
avant d'entreprendre son dernier soupir

La porte de la chambre s'ouvre
et d'un commun élan de commisération
les neveux défilent devant le lit de mort de
    la mourante
Ceux qui sont cuistots s'en lavent les mains
ceux qui sont curés lui administrent l'extrê-
    me-cuillérée
ceux qui sont embaumeurs l'embellissent
ceux qui sont fossoyeurs l'enfouissent
ceux qui sont musiciens jouent un petit air
    de fête
ceux qui sont notaires procèdent à la lecture
    du testament
ceux qui sont héritiers se précipitent sur le
    coffre-fort
ceux qui ne le sont pas se tiennent les côtes
    de rire
Le coffre-fort est vide
Mais elle n'avait donc pas d'économies cette
    vieille chipie?

Mais si mais si
demandez au neveu chirurgien
celui qui a filé à l'étranger
avec un cœur d'or.

*   *
    *

LA GRÈVE DES ANGES GARDIENS

1

Il y a un assassin dans le quartier
qui viole et tue sans la moindre pitié
Anges gardiens, veillez bien!
Hormis ses mains l'assassin n'a qu'une arme
et c'est son charme, un bien étrange charme
Anges gardiens, veillez bien!

Dormez-vous pour n'avoir pas remarqué son
manège?
Dormez-vous pour ne l'avoir pas vu tendre
ses pièges?

Une fois qu'il a jeté son dévolu
sur une proie il ne la quitte plus
Anges gardiens, veillez bien!
Il la choisit jolie jeune et naïve
le portrait-robot de la joie de vivre
Anges gardiens, veillez bien!

Refrain: Anges gardiens
je ne comprends pas bien
à quoi donc vous servez
si ce n'est pour sauver
les jeunes fill's en fleurs
des griffes des violeurs
N'avez-vous pas de cœur?
N'aimez-vous pas les fleurs?

2

Il attend l'heure du mauvais quart d'heure
que passera l'élue de son horreur

Anges gardiens, secouez-vous!
Qu'inventera-t-il encor' pour duper
quelle identité va-t-il usurper?
Anges gardiens, remuez-vous!

Il est toujours temps d'agir, ne le laissez pas
   faire!
N'y a-t-il pas pour lui un' petit' place en
   enfer?

Il se présente en roulant des prunelles
se livre à son numéro de Brummell
Anges gardiens, secouez-vous!
Sa voix chaude, dans le cœur des victimes,
éveille des échos bien légitimes
Anges gardiens, remuez-vous!

Refrain

3

Je renonce à vous raconter le reste
Vous me trouveriez peut-être indigeste,
anges gardiens, et pourtant...
Pourtant ne fait-on pas la file indienne
pour goûter le meurtre à l'hollywoodienne?
Anges gardiens, c'est troublant!

J'en viens à croir' que tout comm' ces super-
   productions
vous n'êtes rien de plus que le fruit de la fiction

C'est pourquoi nul ne vient à la rescousse
de la fille que tue à petit's secousses,
anges gardiens, l'assassin
S'il existe en fait un ange gardien

qui paraît ne jamais chômer c'est bien
l'ange gardien de l'assassin

Rire méphistophélique, refrain et fin.

*   *
*

Pots cassés, cœurs brisés
et autres dégâts

LA DENT CONTRE LA DENT

J'ai perdu
perdu une dent
ma dent
ma dent de jeunesse
C'était
ma première
ma plus
singulière
Celle qui mordait
le mieux dans la vie
Celle qui claquait avec moi
quand j'avais froid aux yeux
Celle qui riait à gorge déployée
quand j'avais chaud au cœur
Celle que je gardais toujours aiguisée
contre les rongeurs de frein
broyeurs de noir
rabat-joie
et pisse-froid
J'ai perdu ma dent de jeunesse
et, pour me consoler, des hypocrites
s'ingénient à me vanter les mérites
de celles qui viendront lui succéder
dans ma bouche tout endeuillée
celles dont je n'ai rien à branler
celles contre lesquelles
déjà
j'ai une dent:
mes dents de sagesse.

*   *

*

CHEVAL DE CHAIR
ET
JUMENT DE BOIS

Une jument de bois
jolie
tournait
Un cheval de chair
hardi
rêvait
Et la jument
jolie
toujours
tournait
Et le cheval
'tourdi
s'en retour-
naitnait

Sur chacun des fers
de chacun des sabots
du cheval de chair
ces trois petits mots
nous rappellent l'histoire
d'un amour de foire
d'un cheval en peine
d'une jument d'ébène:

Robe   de   Soie
Robe   de   Soie
Robe   de Soie
Robe de Soie

*   *
*

DOUZAMI BLUES

J'avais douze amis
ouais: douze amis
Notez bien: j'avais...

Le premier est devenu psychologue:
il ne me comprend plus!
Le second est devenu conférencier:
il ne me parle plus!
Le troisième est devenu oculiste:
on ne se voit plus!
Le quatrième est devenu portier:
il ne sort plus!
Le cinquième est devenu connu:
il ne me reconnaît plus!
Le sixième est devenu ministre:
on ne rigole plus!
Le septième est devenu gardien:
il ne m'ouvre plus!
Le huitième est devenu poussière:
il ne m'emmerde plus!
Le neuvième est devenu riche:
il n'en est pas revenu!
Le dixième est devenu mon beauf:
ça ne lui a pas plu!
Le onzième est devenu muet:
on ne s'appelle plus!
Le douzième est cocu:
je crois qu'il l'a su!

Moi?
J'étais le treizième.

* *
*

DÉSESPÉRÉMENT

Triste scène
que cet homme seul dans la nuit
n'ayant pour toute cravate
que cette vieille corde
et balançant ses jambes
au-dessus du vide
Non cet homme n'est pas mort
il est bien vivant
et n'est pas homme à se pendre
S'il se balance
au-dessus du vide
c'est qu'il s'est assis
sur le bord d'un quai
et qu'il a laissé
pendre ses jambes
et s'il a au cou
cette vieille corde
et tout au bout
cette lourde roche
c'est plutôt pour se foutre à l'eau
Triste scène
On pourrait croire
que l'homme regarde ses pieds
qui se balancent
ça serait tout à fait
normal dans les circonstances
Mais c'est à ses pieds qu'il regarde
et à ses pieds se trouve la Seine
la Seine muette
la Seine inquiète
qui regarde la scène
implorante
impuissante

Triste triste scène
Il ne lui reste plus que quelques minutes à
  vivre
et voilà qu'il les effeuille
comme le font les enfants
avec les marguerites
Je veux encore vivre
un peu
beaucoup
passionnément
plus du tout
un peu
beaucoup
passionnément
Mais il ne lui reste plus
qu'une dérisoire minute
et cette minute écoulée
il ne lui reste plus
qu'à se fiche à l'eau
puisque c'est fichu
fichu
fichu
et de se répéter fichu
comme ça
dans sa tête
ça lui rappelle
une pelletée de souvenirs
Ça lui rappelle
la première fois qu'il l'a vue
Ça paraît bête à dire
mais c'était sur la rue
rue de la Commune
Ça n'était pas très recherché
mais ni l'un ni l'autre ne l'avait cherché
Une cloche avait sonné quelque part
Machinalement il avait regardé sa montre
mais elle était arrêtée

En fait il n'avait pas de montre
mais c'était une raison comme une autre
pour faire connivence
L'heure?
Elle ne l'avait pas non
Mais le temps
ça ma foi oui
Elle avait tout son temps
et ils s'étaient assis
jusqu'à ce qu'il soit l'heure
et quand l'heure était venue
elle avait été très surprise de les trouver là
c'est-à-dire au même endroit
lui sur le banc
elle sur ses genoux
et
ne voulant pas les déranger
elle était repartie en courant
à cloche-pied sur ses aiguilles
Et puis un réveil avait sonné
Matinalement il avait regardé le ciel
et ne l'avait pas trouvé
Il y avait bien un plafond
un plancher
et ce qu'il fallait de murs
pour que le tout tienne
mais de ciel point
Puis
en cherchant mieux
il avait trouvé dans ses bras
une fille aussi nue que lui
En fait elle n'était pas toute nue
Comme toutes les filles qui se respectent
elle avait sa pudeur
c'est pourquoi elle avait gardé son fichu
Il s'était levé sans faire de bruit
et comme il y avait une fenêtre

il s'était accoudé à la fenêtre
et puis elle s'était levée à son tour
et comme il y avait là son homme
elle s'était accoudée à lui
Tiens le soleil est levé
avait-elle dit
L'instant d'après il s'était recouché
avec une fille toute nue dans les bras
enfin pas tout à fait toute
rapport au fichu
au fichu fichu
et de se répéter fichu
ça lui rappelle que c'est foutu
et qu'il oublie qu'il n'est pas venu
pour se rappeler
Triste scène
se dit la Seine pour elle-même
Car elle *sait*
elle est pas conne la Seine
elle est au courant
Des tas de gens chaque jour
viennent lui raconter leur vie
ou simplement lui dire bonjour
ou tout bonnement se taire
et cet homme est l'un d'eux
Au début il venait seul
puis il avait emmené cette fille
qui était au moins belle comme le jour
quand le jour ouvre l'œil
C'était bien elle
la fille au fichu
Même que la Seine en la voyant
en avait rougi oui rougi
comme rougissent les filles
qui en voient de plus jolies qu'elles
Mais toutes deux étaient vite devenues
    amies

et bientôt on n'avait plus vu l'une sans
    l'autre
au point que certains promeneurs
dans un moment de distraction...

Elle lui disait
car elle lui disait tout
Il est mon soleil
et je suis son ciel
Jusqu'ici je n'avais connu que des lunes
et jamais bien brillantes
et des étoiles beaucoup d'étoiles
mais toujours trop filantes
Elle lui disait
Toi seule la Seine peux me comprendre
comme lui seul sait me prendre
Je peux tout te dire
et tu peux tout entendre
alors laisse-moi te dire
il est mon soleil
et je suis son ciel
Je ne suis peut-être pas son premier
je ne suis peut-être pas son septième
mais quelle importance puisqu'il m'aime
Chaque jour il se lève et se couche à mes
    côtés
il n'est peut-être pas le premier
il n'est peut-être pas le dernier
mais quelle importance puisque je l'aime
Il n'est pas le seul qui puisse me rendre
    heureuse
mais il est le seul qui sache comment
Il m'offre son cœur sans me demander ma
    main
il me parle du bonheur sans penser au len-
    demain

et il est si beau qu'en le voyant je me fais
    belle
Bientôt on se mariera
tu viendras?
Pour une fois juste une fois
tu pourrais bien sortir de ton lit...

Si le Seine s'était écoutée
elle y serait bien allée
mais elle devait aussi penser
à tous ses autres amis
à tous ceux qui ont besoin d'elle pour vivre
ses affluents
ses travailleurs
ses poissons
ses promeneurs
et elle avait dit non
à contrecœur
à contre-courant

Ils étaient partis à la mer
pour leur voyage de noces
La Seine s'en souvient
l'eau de mer avait un sale air ce jour-là
un sale air et un sale petit arrière-goût de
    je-ne-sais-quoi
et ça n'était pas le goût de l'égout
mais comme elle était au bout de sa course
et qu'elle n'avait plus rien à faire là-bas
et qu'elle semblait embêter sa mer dans son
    travail
alors elle s'en était retournée à sa source

Et maintenant elle comprend
pourquoi l'homme est venu
la fille jamais revenue
et le sale petit arrière-goût de l'eau de mer

Elle comprend qu'elle a perdu une amie
et que l'homme va se perdre à son tour
Elle comprend mais ne le prend pas
D'un pur inconnu
d'un magnat du mazout
d'un salaud reconnu
passe encore
Bien sûr c'est toujours la mort
mais la mort d'un copain
c'est jamais la même histoire
Elle sait
elle est vraiment pas conne la Seine
elle sait que l'homme va se jeter sur elle
Elle sait aussi
qu'elle n'y pourra rien
Évidemment elle a l'habitude
c'est pas la première fois
mais on ne s'habitue pas à ces choses-là
Hier encore
et plus d'une fois...
À ces moments-là
elle voudrait se vider d'un trait
ou bien se résorber
à n'être plus qu'un jet
ou bien s'étaler
à ne faire plus qu'une flaque
on encore se figer
se dresser sur ses vagues de derrière
en consolant le suicidé
lui raconter une histoire
lui décliner ses épaves
lui lire l'horaire des bateaux-mouches
lui dire n'importe quoi
qui lui mette à la bouche
quelque chose qui ne soit pas mortel
tout en étant toujours de l'eau

Triste scène
L'homme regarde la Seine
la Seine regarde l'homme
mais la Seine n'en peut bientôt plus
et elle baisse ses beaux yeux de bouillon
C'est lui qui devrait avoir honte
je n'ai pas mérité ça
j'ai sûrement déjà renversé deux ou trois
    barques
et noyé quelques chatons dont les hommes
    ne voulaient pas
mais je n'ai jamais détruit de navire
ou fait périr des équipages entiers
Je vous vois venir
vous allez me dire
Et les petits chatons?
Je vous réponds
Et mes petits poissons?
Je vous vois revenir
vous allez me dire
Et l'inondation de 1910?
Je vous réponds
Que voulez-vous que je vous dise?
J'écoutais ma mer
Elle-même n'y était pour rien
c'était la volonté de papa
et on n'arraisonne pas un océan
Puis j'ai bien le droit de vivre à ma guise
Si vous vivez c'est un peu grâce à moi
et puis si je n'étais pas là pour voir à tout
pour hydrater vos petits boyaux
pour vous faire prendre votre bain
pour nettoyer votre vaisselle
mettre de l'eau dans votre vin
laver votre linge sale
et
puisqu'il faut bien le dire

bouffer votre merde...
Alors si de temps à autre
je vous fais une petite crise
une menue crue
vous n'avez pas à vous jeter sur moi
Après tout c'est bien de votre faute
si chaque jour je meurs un peu plus
Si moi je me jette à la mer
c'est par nécessité
pas par lâcheté
Je n'ai pas envie de crever
j'ai encore tant de choses à faire
Vous êtes un monde immonde
mais c'est déjà mieux que pas du tout de
    monde
et je ne veux pas vous laisser
Au fond vous m'aimez bien
vos poètes m'ont chantée
vos artistes peinte
Vous m'avez donné
vos plus belles villes
vos plus belles îles
Vous voyez
on est quittes
Mais il ne s'agit pas de s'acquitter l'un
    envers l'autre
et de se quitter bons comptes bons amis
Il s'agit de rester ensemble
unis
Que foutriez-vous sans moi
et moi sans vous?
Et toi qui veux te jeter sur moi
que ferais-tu si je n'y étais pas?
Tu devrais aller te faire pendre ailleurs
tu t'enfermerais dans ta chambre
tu allumerais le gaz et tu t'étendrais
jusqu'à ce que tout s'éteigne

Mais ça tu ne le fais pas n'est-ce pas
tu préfères t'en remettre
à mon anesthésie locale
à mon euthanasie cordiale
Tu préfères t'en remettre à un ami
Mais tu devrais savoir qu'on ne demande
   pas ça à un ami
À un pur inconnu à un magnat du gaz à un
   salaud reconnu
passe encore
Mais pas à un ami
Et après
moi
qu'est-ce que je ferai sans toi?
Tu y as pensé gros malin?
Si tu te figures que je n'ai besoin de personne dans la vie
que je ne suis qu'une chose inanimée ani-
   mée d'un mouvement perpétuel
et qu'il me suffit de me la couler douce sous
   les ponts de Paris pour que la vie soit
   belle eh ben tu te goures garçon
Si tu savais ce qu'une rivière doit traverser
si tu savais comme c'est triste de voir partir
   tout le monde
et de devoir rester seule à se rappeler l'ancien monde
et comme c'est bon de voir grandir leurs
   amours
et comme c'est triste de les voir partir à leur
   tour
et comme c'est bon de voir tout se recommencer toujours
et comme c'est triste que tout doive toujours
   se recommencer
Je ne veux pas de tes os dans mes eaux

Je suis déjà tant pleine de tous ces
   cadavres d'antan
que tu pourrais marcher longtemps sur mes
   os
avant de sombrer pour de bon
Si tu tiens à mourir
va faire tes petites saloperies ailleurs
Y a des tas d'humains qui ne vivent que
   pour ça
tuer saigner gazer hacher trancher lyncher
Va les trouver
informe-toi des tarifs
demande à voir Tantale
insiste pour avoir la totale
la solution finale
la grande Fatale
Mais si tu veux encore vivre
un peu rien qu'un petit peu
un tout petit peu vivre
vivre
Oh
et puis merde
pourquoi je me fends l'onde
tu ne peux pas m'entendre
tu ne veux rien entendre
et même en gueulant
je ne parle qu'à marée basse...

Soudain l'homme cligne des yeux
D'abord de l'un
puis de l'autre
puis des deux
Tiens il y a quelqu'un
En effet
à la surface de l'eau
flotte le reflet d'un visage
de son visage qui le dévisage

mais qui
fait curieux
n'en est pas le reflet fidèle
Un visage creusé ossifié momifié
au crâne veineux dégarni diaphane
et qui
fait encore plus curieux
se dégarnit à vue de deuil
pour devenir tout à fait chauve
parfaitement crânien
tout à faitement squelettique
et qui
fait furieusement curieux
cligne des yeux
de l'un d'abord
de l'autre ensuite
et puis des deux
Alors l'homme commence à comprendre
Il n'a plus besoin de dessin
et plus il comprend et plus il vieillit
et quand il a tout à fait compris
il est presque tout à fait mort
et il a très froid
Il voudrait retourner chez lui
se retourner dans sa tombe
ou simplement se retourner
mais il est trop faible
Il n'a plus de force
plus de faiblesse
plus même l'énergie de refléter sa propre
    image
Soudain
on dit soudain
c'est bien parce qu'il n'y a pas d'autre mot
car ça n'est pas vraiment soudain
en fait c'est lent très lent même
infiniment

infinimanimalement
infinitésimalissimement lent
une main se pose sur le reflet de son épau-
    le
un visage se penche sur le reflet de son
    visage
et ce visage
sans l'avoir jamais vu
il l'a toujours connu
sans l'avoir jamais su
il l'a toujours aimé
et cet amour
si vieux et si neuf à la fois
le réenfante en moins de temps
qu'il ne le faut pour se taire
Le voilà rajeuni
de dix de vingt de cent ans
Le voici à nouveau fort
le voici à nouveau faible
le voici qui remue
le voici qui se retourne
mais il est seul sur le quai

C'est bientôt le jour
et c'est toujours l'été
et il y a cette corde
et tout au bout cette roche
et tout en bas la Seine
qui lui sourit
désespérément...

*   *

*

SILENCE

Silence!
Silence!
Mais où donc est passé Silence?
Sa mère hurle à la fenêtre:
Silence!
La soupe est servie!
Silence!
La soupe refroidit!
Silence!
File dans ton lit!
Et de haut en bas de l'immeuble
Les mères hurlent aux fenêtres:
Silence!
Silence!
Et ne sachant s'il doit se taire
S'il doit se taire ou s'il doit répondre
Silence s'élance et s'enfuit dans la nuit.

* *
*

LA CAGE

Je t'écris adorée
ce mot tout éploré
Tu sais la cage dorée
que tu m'avais forgée
ben je l'ai saccagée

J'aurais pris tant plaisir
à aller et venir
et encore repartir
et puis me souvenir
et toujours revenir

Si c'est un peu mourir
que de parfois partir
que dire de revenir
sinon c'est beaucoup jouir?

J'imaginais une cage
pour damoiseau volage
aux barreaux assez larges
pour prendre un peu le large

Tu me disais sois sage
sage comme un otage
mais de bronzer en cage
ça m'a porté ombrage
alors j'ai eu la rage

C'est pourquoi c'est ainsi
tout ceci s'est produit
et que bon je t'écris
pour la cage et aussi
m'excuser du gâchis.

* *
*

BAISERS BAISERS

Ils se haïssent et pourtant ils s'enlacent
Ils s'exècrent et pourtant ils s'embrassent
en se tirant mutuellement la langue
Les monstres sacrés du ciné sont dans
l'écran
et vous misérables mortels êtes dans la
salle
quasi honteux de votre amour de tous les
jours
Oh baisers baisers
baisers du septième ciel
baisers du suprême art
Vous rêvez aux baisers
baisers des starlettes évanescentes
baisers des jeunes premiers blondinets
rêvez sans vous soucier
des sept merveilles du monde
qui flamboient à vos côtés
en une seule et même personne.

* *
*

LE MOULIN

J'habitais un moulin
Avec de grandes ailes
Et les hommes entraient
Et sortaient de mon corps
Comme d'un moulin
Puis dans mon moulin
Tu es venu
Et tu as tout brisé
Arraché les ailes
Fracassé la meule
Cloué les volets
Tu m'as fait l'amour pendant trois jours
Tu as fait fuir tous mes autres hommes
Et je me retrouve seule avec toi
Dans mon moulin qui n'est plus mon moulin
Dans un moulin qui n'est plus un moulin.

*   *
*

LEUR DIS RIEN!

Leur dis rien!
Leur dis rien!
Si tu leur dis le plus petit mot
ils voudront tout savoir sans rien vouloir
    entendre
Ils te regarderont du regard qui en dit long
Ils te pointeront très honteusement du doigt
    qui ne dit mot
en te traitant très respectueusement de sale
    petite traînée
et ils te le répéteront très volontiers trois
    fois plutôt qu'une
en te mettant les accents circonflexes sur
    les i
Ils t'exposeront très explosivement leur
    point de vue
en t'assenant très assassinement l'argu-
    ment-massue
Ils tourneront sept fois leur langue dans ta
    plaie
en marquant ton front du fer rouge de la
    honte
et ils te renieront très publiquement
en te répudiant très irrémédiablement
Ils te gifleront très grandiloquement
en te crachant très simplement dessus
et tu crieras très atrocement
en perdant tout ton sang par le dedans
et tu te sentiras très soudainement
très orphelinement seule au monde
Ils te montreront très hérétiquement la
    porte

en la fermant très hermétiquement derrière
   toi
et ils la barricaderont très symboliquement
avec un loquet très inoxydable

Et tu te souviendras de ce que je t'avais dit:
Leur dis rien! Leur dis rien!

      *   *
        *

THÉÂTRE DE CRÉATION

Le rideau s'ouvre
Mais ce n'est pas tout à fait un rideau
C'est une robe
Une robe qui s'ouvre par devant
La robe d'une femme
Cette robe s'ouvre donc
Montrant d'adorables jambes
Pourvues d'admirables cuisses
D'entres lesquelles surgissent
Les yeux d'un enfant
D'un enfant la tête à l'envers
Qui regarde l'endroit
Bouche bée
Et qui rentre aussitôt
Dans les coulisses
Délicat
Cabotin
Se pendre avec son cordon
Désenfanté qu'il est

* *
*

LA REVANCHE DES CERVEAUX

Les uns couchant avec les idées des autres
Les idées se reproduisent
Les germes se multiplient
Autour des berceaux singulier rituel
Les uns caressent les germes des autres
«Tout le portrait-robot de son père
Ne trouvez-vous pas?»

Jolies images se succédant
Germe faisant ses premiers pas
Germe à la montagne
Germe à la mer
Germe recevant son Vaccin d'Études
Germe faisant son petit chemin de microbe
Germe reçu à l'Épidémie Française
Germe roulant carrosse
Puis de moins jolis clichés
Germe trouvant chaussure à son pied
Germe disparaissant de lui-même
Ridiculement laid inutilement creux
Laissé pour compte et pour cause

Dans les petites chambres des grandes mai-
    sons closes de pensée
Les uns et les autres continuent à copuler
Et les germes de se multiplier
Et la grande roue de tourner.

*　　*
*

LES PITAPHES

Je t'aimais
c'est tout ce que je savais
c'est tout ce que je voulais savoir
Notre histoire d'abord et celle du Monde
    après
Je t'aimais
et quand ils me demandaient en rigolant si
    c'était avec un grand **A**
je me doutais bien qu'il ne me parlaient pas
    d'un grand tas
mais bien du **A** ce mystérieux **A** que je
    n'avais jamais réussi à distinguer de ses
    collègues
Je m'y étais résigné depuis le fin mot de
    mon adolescence
Je me disais toujours que ça n'était plus la
    peine d'essayer
et surtout pas d'essayer de leur répliquer
Les jeux de lettres très peu pour moi
les mots de l'amour étaient mes mots mys-
    tères
nos corps enlacés mes seuls mots croisés
et nos rares propos aigres-doux nos joutes
    de scrabble
À défaut de connaître les lettres et les mots
je domptais ma mémoire à reconnaître
    les lieux et les gens
et plus particulièrement puisqu'il me faut
    bien l'avouer
les savants salauds qui se gaussaient de ma
    parfaite ignorance
Mémoire donc des propos désobligeants

mais aussi et surtout et désormais unique-
    ment
mémoire des encouragements
de tes encouragements
Sentiment de gratitude pas disable envers
    tes efforts bienveillants
toi qui malgré mes cinquante ans passés
patiemment amoureusement acharnément
guida ma main des éternités durant
sur les lignes de petits cahiers d'écolier
pour que je puisse enfin venir à écrire
mon nom le tien le nôtre et puis les leurs
et tous ces autres mots qui me tiraient la
    langue depuis toujours
Tout ça pour en être aujourd'hui réduit
à déchiffrer les frontières de ta vie
décrypter les poussières de ton nom
froidement gravé
sur l'une des dizaines de milliers de tombes
    du cimetière Notre-Dame-des-Neiges.

            *   *
              *

LE SABLE D'ESCAMPETTE

Dans une ville
La grande Ville Lumière
Sous un toit
Dort une femme
Son ami lui ne dort pas
Par la lucarne
Coule un filet de lumière
Et comme un gosse
L'homme tend la main
S'amuse à donner la chasse
Aux poussières de soleil
Au sable tombé du ciel
Déjà la femme s'agite
Aussi l'homme dépose-t-il
Sur les paupières de la femme
La poussière du soleil
Le sable tombé du ciel
Bientôt la femme s'éveille
Seule sous son toit
Son ami n'est plus là
Sans passer de vêtement
Il s'est rhabillé
Sans passer la porte
Il est reparti.

* *
*

CE GENTIL PETIT CHAT

Pour Iris

Ce gentil petit chat
et ces millions d'oiseaux
sont pour toi:
les oiseaux comme en-cas
et lui pour fair' le beau
dans tes bras

Un oiseau par repas
et trois repas par jour
n'oublie pas
Et s'il se montre poli
parfois présente-lui
une souris

Quand il voudra sortir
ne le fais pas languir
ouvre-lui
mais ne va pas t'étonner
si tu le vois rentrer
tout meurtri

Il lui reste à apprendre
qu'il lui faut se défendre
dans la vie
et à toi à comprendre
que nul n'est à personne
les chats comme les hommes.

*   *

*

PAS SAVOIR

Elle m'avait préparé
le plus beau des repas
dans la plus belle vaisselle
La table était servie
j'ai tiré sur la nappe
cassé toutes les assiettes
Et de voir les côtelettes
rouler sur le plancher
elle s'en tenait les côtes
Mais quand la nuit venue
j'ai tiré sur sa robe
pour la voir enfin nue
elle a cessé de rire
et s'est mise à pleurer
Je ne pouvais pas savoir
qu'elle m'avait préparé
le plus beau des repos
dans la plus fine dentelle.

* *
*

CÉCÉDILLA

Cécédilla
Moi qui te croyais
au-dessus de ça
Cécédilla
Moi qui me voyais
déjà dessous toi...

C'était donc ça
Quand je pressais ta sonnette
il giclait de ta couchette
Quand je passais au salon
il frissonnait au balcon
Dès que je prenais congé
il revenait s'allonger

C'était donc ça

Que ça

Ça

C, cédille, a.

*   *

*

*Petits mystères
et autres grandes affaires*

PFUITS EN SÉRIE

Hier soir, lors d'un gala de bienfaisance au Paillot de Chalais, le Président n'est jamais ressorti des cabinets où l'avait mené quelque pressante affaire. Une fois la porte forcée, ses gardes du corps ont eu la surprise de ne plus trouver leur gagne-pain. Une fouille systématique du Paillot et un tamis minutieux des égouts attenants se révélèrent infructueux. Le président avait disparu.

Aussitôt dépêchés, les services secrets se sont égaillés en tout sens — discrètement, afin de ne pas semer le germe vivace de la panique. Si discrètement, en fait, que tous leurs effectifs semblent s'être liquéfiés dans l'espace, n'ayant pas été revus depuis.

Pas mécontente d'enfin entrer en scène, la police a pris le relai et s'est hâtée de boucler le secteur — hélas pas assez vite, ledit secteur ayant entretemps disparu, suivi de peu par l'ensemble des forces constabulaires.

Alléchés, gens de plume, de caméra et de micro se sont rués vers le périmètre chaud, accomplissant brillamment leur devoir sacré d'informer le chaland — avant d'opérer à leur tour un *pfuit* feutré, non sans entraîner à leur suite auditeurs, téléspectateurs, lecteurs.

Sur la terrasse du café où je prends le frais, ce délire vient tout juste de m'être raconté par une vieille connaissance — sitôt évanouie dans la nuit chaude et profonde, sans autre déploiement que le claquement de langue sarcastique d'un néant glouton.

Mû par un pressentiment curieux, je décapsule mon stylo et demande un napperon au garçon, histoire de coucher par l'écrit ces faits étranges. Promettez-moi de ne pas m'en vouloir trop si, à la lecture de ces lignes, s'empare brusquement de vous un senti...

*   *
*

LA CHATTE

pour Dominette

1

Suffit d'une fenêtre ouverte
inconsidérément
            pour que chatte déserte
            intempestivement
Le sort voulut que Dominette
la belle aux longues nattes
            perdît un jour Minette
            sa bien-aimée chatte

2

Dès qu'elle eut dûment constaté
la fugue de Minette
            Dominette accablée
            vit s'emplir ses mirettes
de tant de larmes qu'on eût crut
qu'elle fût devenue
            l'un de ces longs reptiles
            nommés crocodiles

3

Si joli soit-il l'on ne peut
demeurer sur son cul
            très longtemps si l'on veut
            récupérer son dû
Séchant ses larmes Dominette
fièrement releva
            sa frimousse coquette
            et, son cul, soul'va

4

Émue par les événements
un tantinet distraite
        elle sortit en coup d' vent
        de son humble chambrette
en omettant de prendre, sotte,
le soin de décorer
        d'un' petite culotte
        ses fess's adorées

5

Pour la saine compréhension
de la suite de l'histoire
        attirons l'attention
        de l'aimable auditoire
sur le fait que la Dominette
se trouvait à nicher
        pauvre petite chouette
        sixième plancher

6

C'est ainsi qu'en dégringolant
l'escalier quatre à quatre
        à pleins poumons gueulant:
        "Qui c'est qu'a vu ma chatte?"
elle fit allonger le cou
pour ne nommer qu' ce membre
        au voisin du dessous
        qui la vit descendre

7

Le brave homme en apercevant
ce que bien vous pensez
        en chevalier servant
        en personne sensée
dit à la belle Dominette:
"Ne bougez plus ma mie

restez comme vous êtes
je la vois d'ici..."

8

"A-t-elle le pelage sombre?
s'enquit-elle, ingénue
   — Oh oui ma mie, fort
   sombre!
   lui fut-il répondu
— Direz-vous qu'ell' gronde ou ronronne?
a-t-ell' l'écume aux lèvres?"
    À ces mots le cher homme
    fut saisi de fièvre

9

Ce fut à cet instant précis
que du fond d' sa chambrette
    Dominette entendit
    le miaou d' sa minette
Il lui parut dès lors curieux
que sa chatte à la fois
    pût à l'instar de Dieu
    être en deux endroits

10

"Bon voisin ne vous donnez plus
tout ce mal pour ma pomme
    Ma minette est r'venue
    je l'entends qui me somme
d'aller lui porter, malheureuse,
sa ration de miam-miam
    Les émotions ça creuse
    et ça vous affame!"

11

En éloges ell' se confondit
pour son samaritain

                        cet homm' sans contredit
                        digne du saint des saints
et pour bien le remercier
de sa délicatesse
                        en r'montant l'escalier
                        lui montra ses fesses

                              12
Suffit d'une fenêtre ouverte
inconsidérément
                        pour que chatte déserte
                        intempestivement
Le sort voulut que Dominette
la belle aux longues nattes
                        perdît un jour Minette
                        sa bien-aimée chatte.

                        *   *
                           *

STRADIVARIA

La nuit venue — une fois terminée la nuit de noces proprement dite —, il rejeta la couverture jusqu'au pied du lit, alluma la lampe de chevet et s'absorba, hébété de ravissement, dans la contemplation du corps de sa femme. Aucun risque qu'il la dérangeât dans ses rêves: elle dormait comme dorment les souches, d'un profond sommeil de bois dormant, que rien ni personne n'eût pu altérer: le sommeil de la juste.

Il avait laissé s'écouler, par précaution, une bonne heure après la fin de leur étreinte — leur toute première. Fille aux principes inattaquables, elle l'avait prévenu dès la genèse de leur relation qu'un soufflet bien senti viendrait saluer toute incursion tactile avant le mariage. Car elle savait déjà, étrangement — et lui aussi d'ailleurs —, que toute cette histoire finirait devant Dieu, les hommes et cent cinquante invités bien imbibés dans le plus bel hôtel de la capitale.

En la caressant, dans la pénombre musquée, il avait bien senti ces deux creux, de part et d'autre de son ventre, et s'y était attardé, résolument intrigué, hasardant un doigt puis deux... Jusqu'à ce qu'elle l'entraînât, en le grondant gentiment, vers une autre cavité — laquelle lui fit aussitôt oublier toutes les autres.

Maintenant, à la lueur de la lampe, il voyait, il voyait tout très bien, et même s'il se refusait encore à croire la réalité de cette vision, il en saisissait néanmoins la signification. Par l'une des fentes finement ouvragées ornant le ventre de la jeune mariée, il pouvait lire distinctement, à l'intérieur du corps, les caractères de l'illustre signature: Stradivaria.

Quand il parvint enfin à détacher son regard de l'admirable chose, ce fut pour le reporter sur le misérable archet qui lui tenait lieu de sexe. Et il soupira de tout son être, longuement, avec superbe, comme si c'était là son métier depuis toujours.

Le lendemain, au petit jour, on retrouva devant l'hôtel le corps du célèbre virtuose, désarticulé, le crâne éclaté. Soucieuse de déjouer la meute des journalistes, paparazzi et curieux accourus en grand nombre, la veuve s'éclipsa par la sortie de secours, à l'anglaise, dans son plus bel étui de cuir dont les courbes faisaient rêver le garçon d'étage qui le portait.

* *
*

FUNÈBRES RAILS

(Ferrovimélodrame en quatre époques)

PREMIÈRE ÉPOQUE

Fatale étreinte

Une femme court avec les jambes d'un
   homme à son cou liées
Curieux curieux collier
jamais vu ça en trente ans de métier
s'émeut un bijoutier

Raide mort et encore tout raidi d'amour
   fatal
l'autre moitié de l'homme gît tendrement
   sur les rails
point de mire des écornifleurs ivres d'hé-
   moglobine
hypnotisés par le membre turgescent de la
   victime
sorte de bras d'honneur à la force constabulaire
dépassée par cette entorse aux lois élémentaires
Vient à passer un poète grave et compassé
qu'interpelle vivement le sort des deux
   intéressés
Quel joli thème que les amants du rail
et ce train qui les sépare sans crier gare
sibylline allégorie de la fulgurante fugacité
de nos précaires conditions d'enfoirés
hasardier le nom de l'arbre
hasard le nom du fruit

oh la vache c'est pas mal ça
hasardier le nom de l'arbre
hasard le nom du fruit
vraiment pas mal du tout
Et le poète quitte à toutes pompes
le périmètre de la funèbre bombe
pour aller taquiner la muse
cependant qu'en sens inverse se rue
la masse des échotiers fébriles
cernant de toutes parts la fille
surnommée déjà la Veuve du Rail

SEPTIÈME CIEL SOUS LES ESSIEUX
La vérité, toute la vérité, rien que la vérité
sur le tragique coït interrompu

LE JOURNALISTE
Mais pourquoi sur les rails?

LA VEUVE DU RAIL
Pourquoi pas sur les rails?

LE JOURNALISTE
A-t-il eu le temps de souffrir?

LA VEUVE DU RAIL
À peine le temps de jouir...

LE JOURNALISTE
Mais comment n'avez-vous
pas entendu tchouchou?

LA VEUVE DU RAIL
Cela fut si soudain,
notre étreinte et ce train...

Curieuse curieuse affaire
que cette sauterie sur le chemin de fer
jamais vu ça en trente ans de carrière
marmonne le commissaire

L'unique témoin oculaire a tout oculé et
    témoigne
il persiste et signe et s'en va l'air très crâne
De guerre lasse le membre mollit et les
    badauds s'éloignent
et bientôt ne subsistent plus sur les lieux du
    ferrovidrame
que la Veuve du Rail avec les guibolles de
    son légitime
Deux jambes en l'air et le souvenir de son
    pied ultime
voilà tout ce qui lui reste de son jules Jim
hormis ces riches mais tristes rimes

Neuf mois plus tard horloge grand-père en
    main
la Veuve du Rail accouche d'un ravissant
    bambin
un véritable petit foutre en train
tout le portrait de feu tout flamme son
    père...

Entr'acte

L'AFFAIRE BÂTON DE CHAISE

*(Suggestion de feuilleton à l'intention
des grands réseaux de télévision)*

VOLET PREMIER

Les hôpitaux américains débordés — Épidémie de fractures et contusions diverses, toutes reliées à l'usage de chaises présumées défectueuses

DEUXIÈME VOLET

«Non à l'asservissement!»: manifeste du MBC (Mouvement Bâton de Chaise) — Ramifications du mouvement à l'échelle mondiale — Premières rébellions, sévèrement réprimées par la population révoltée — Des milliers de chaises brisées sur la tête de milliers de bénévoles

TROISIÈME VOLET

Terribles représailles — Le trône britannique kidnappé, puis relâché — Nouvelles vagues de protestations et d'affrontements — Gigantesque sit-in au Bois de Boulogne: deux vieillards rossés par leur pliant

QUATRIÈME VOLET

Dégénérescence du conflit — Washington, DC, USA: dix mille bâtons de chaise dispersés par un seul bâton de flic — Contre-attaque du MBC: dix mille flics dispersés par un seul bâton de dynamite

CINQUIÈME VOLET

Découverte d'un déguisement de bâton de maréchal à proximité des lieux du drame — Rafle chez les bâtons de chaise — Bastonnade générale

SIXIÈME VOLET

Un bâton de chaise passe à table — Arrestation d'un haut membre du Barreau — Procès et sentence: la peine capitale — Manifestation de solidarité des bâtons de chaise électrique

SEPTIÈME VOLET

Révélations inattendues d'un bâton merdeux: le MBC n'était pas dans le coup à Washington — Diffusion d'un avis de recherche contre le Bâton Rouge, membre et chef de file d'un certain Mouvement de Dépostériarisation des Chaises (MDC) — Progrès spectaculaires de l'enquête

HUITIÈME VOLET

Paris, France: une confiserie du XVᵉ cernée par l'armée — Le Bâton Rouge, perdu, se donne la mort par la bouche d'un enfant glouton, lui-même abattu par mesure de prudence

NEUVIÈME VOLET

L'autopsie révèle la présence de réglisse dans l'estomac du garçon — Tributs floraux anonymes sur la tombe du Bâton Rouge, élevée à la dignité de légende

DIXIÈME VOLET

Entente à l'amiable entre le MBC, le MDC et la LIP (Ligue internationale des Postérieurs) — La journée de travail est diminuée de moitié et le Terrien moyen s'engage à perdre le quart de son poids actuel — Conformément aux exigences du MBC, l'Académie française s'engage à bannir l'expression «mener une vie de...», jugée diffamatoire par la CDBC (Commission des Droits des Bâtons de Chaise) — Mais chez les Bâtons de Chaise, la révolte gronde toujours...

Nota bene: *L'Affaire Bâton de Chaise* pourra, selon le succès des dix premiers épisodes, faire l'objet d'une seconde série. Prière de communiquer avec l'auteur qui s'en frotte les mains d'avance.

* *
*

FUNÈBRES RAILS

(La suite!)

SECONDE ÉPOQUE

La malédiction du Rail

Vingt ans et quelques secondes bissextiles
    plus tard
la Veuve du Rail soulage enfin sa mémoire
et lève devant son fils médusé le voile
sur le secret de son étrange conception
En entendant ça le jeune homme se met à
    rire
un drôle de rire à donner froid dans le dos
    d'un Inuit
un drôle de petit rire à vous glacer les
    sangs d'un vampire
un rire à génocider net tous les vampires
    inuits
Moi le fils du jules de la Veuve du Rail
moi qui croyais papa danseuse légère à
    Shanghaï
Sait-on jamais ce qui se passe dans un
    crâne
quand deux fils se touchent et que tout
    crame
Voilà le fils qui gifle sa vieille maman aller
    et retour
avant de sauter par la fenêtre pour toujours
maculant d'un sprotch puissant macadam et
    témoins
pathétique imitation d'une pastèque trop à
    point

La mère introduit sa conscience dans l'étau
   du souvenir
et se met à tourner et tourner la manivelle
   du remords
Lasse elle va se répandre sur les rails mau-
   dits pour en finir
mais la vie a un peu d'avance et le train un
   peu de retard
et le Prince des Poètes vieilli vient à péré-
   griner en ces lieux mêmes
où la muse lui souffla dans le tuyau ses vers
   suprêmes...

LE PRINCE DES POÈTES
(se récitant)
Hasard le nom du fruit...

LA VEUVE DU RAIL
Adieu vie, veaux, vaches, truies!

LE PRINCE DES POÈTES
(l'amadouant)
Un souci vous tracasse?

LA VEUVE DU RAIL
Vous parlez d'une mélasse...

L'EXPRESS DE MINUIT
(s'approchant)
Keutchou! Keutchou! Keutchou!

LE PRINCE DES POÈTES
V'la (si je ne m'abuse)
le train. Soyez ma muse!

LA VEUVE DU RAIL
Tout ça est si soudain...
Vous, moi, nous et ce train...

L'EXPRESS DE MINUIT
(imminent)
Keutchou! Keutchou! Keutchou!

Entracte

LES BÉBÉS PIPÉS

Dans une chambre d'hôpital, un mari déconfit au chevet de son épouse, alitée et pareillement déconfite, exhale son amertume.

MONSIEUR MARI

Des dizaines
des dizaines de centaines
des dizaines de centaines de milliers
des dizaines de centaines de milliers de centaines de dizaines de millions de bébés
et puis ça...
Sacré nom d'une pipe!

Dévisageant le nouveau-né, d'un air très aéré, la femme approuve son mari.

MADAME FEMME

Tu l'as dit, bouffi!

Juché sur ses entrefaites, le docteur s'introduit dans la chambre, se débarrasse dans un coin de ses entrefaites avant de réconforter les nouveaux parents.

LE DOCTEUR

Hé oui, hé oui... Une pipe chère petite madame
c'est une première universelle vous pensez
   bien
Vous avez accouché d'une pipe
une jolie petite pipe de deux cents grammes

Et moi qui exhorte les futures mères à cesser
de fumer
de quoi j'ai l'air je vous demande un peu ha
ha
Remarquez vous n'avez pas l'air beaucoup
plus futé
avec votre pipe de deux cents grammes dans
les bras
Bah tout ça n'est rien tant qu'on a la santé
n'est-ce pas?
Nous tiendrons les médias à l'écart de tout
ceci
vous ressortirez d'ici demain après-midi
madame vous tiendrez le bras de votre mari
monsieur vous tiendrez l'enfant entre vos
dents
tout le monde n'y verra que du feu juré cra-
ché
Mais de grâce mon cher ne poussez pas le
naturel
jusqu'à allumer le petit le tabac c'est mortel
Tout ça était à prévoir aussi
des bébés encore des bébés toujours des
bébés que des bébés
alors là je vous arrête et je dis
pourquoi pas une pipe?
Spermatozoïde + ovule = vie
Elle a beau dater de la nuit des temps
la formule n'en est pas moins faillible
et je dis pourquoi pas une pipe une vipère un
jardin de roses
un récépissé une éclipse une cravate à système une évasion fiscale
un beignet soufflé une pastèque une ser-
pillière une thrombose
une autoroute à péage un aqueduc à
pédales?

Sous le pas de la porte une coulée de lave... Une infirmière fait éruption en hurlant.

L'INFIRMIÈRE

Docteur! Docteur!

Une pipe salle un!

Deux pipes salle deux!

Trois pipes salle trois!

Quatre pipes salle quatre!

Docteur c'est une épipémie!

Seigneur Dieu et moi qui suis enceinte

et qui m'apprête à accoucher d'un jour à...

UN TRUC

Toc!

Un truc est tombé sur le parquet, un rudement chouette petit briquet, au butane s'il vous plaît, et le docteur de se tenir les côtes...

LE DOCTEUR

Faudra songer à les présenter!

... avant d'enjamber la fenêtre de la chambre et de s'envoler, rejoignant rapidement une formation d'entonnoirs en migration vers les pays chauds.

* *

*

FUNÉBRES RAILS
(La suite de la suite!)

TROISIÈME ÉPOQUE

Chez le Prince des Poètes

Malgré son mas en Cocagne et sa tour d'ivoi-
re à la ville
Le Prince des Poètes a conservé son âme
roturière
Il a une chaise à porteurs mais il roule en
espadrilles
Il a tout plein de valets mais change lui-
même leur litière
Il a dans ses tiroirs des avalanches de
Montblanc
mais préfère toujours écrire avec sa bonne
vieille Moncul
Il a une statue équestre de lui en centaure
flamboyant
qu'il chevauche facétieux en criant hue
cocotte hue
C'est un homme que rien n'a changé pas
même le Nobel
répondant personnellement au courrier de
ses groupies
mettant le holà à toute demande d'insémi-
nation artificielle
(le Prince des Poètes ne fait pas dans la
clonerie)

Avec les gens qui en ont gros sur la patate
faut faire gaffe c'est tous des égocidaires

C'est pourquoi il cache sous ses tapis car-
     pates
cyanure et fil à fromage poêle à gaz et
     revolver
Il sert à la désespérée des petits déjeuners
     au lit
la laisse tendrement reprendre goût à
     l'avoine et à la vie
Quelle femme merveilleuse songe-t-il vas-
     tement mordu
en broyant des alexandrins dans l'extrac-
     teur à jus
Un matin elle redemande même une portion
     de cobaye
qu'elle dévore à belles dents sous les vivats
     de la valetaille

La jugeant enfin délivrée de ses vieux
     démons
le Prince estime venu le temps de passer à
     l'action:

          LE PRINCE DES POÈTES
          Ah, mon cœur, votre main!

          LA VEUVE DU RAIL
               (déconcertée)
          Quoi, votre cœur, ma main?

          LE PRINCE DES POÈTES
          Vous, mon Tout, votre main!

          LA VEUVE DU RAIL
          Je ne vous suis pas bien...

          LE PRINCE DES POÈTES
               (s'exaltant)
          Votre main si... manuelle!

LA VEUVE DU RAIL
Enfin, ma main, qu'a-t-elle?

LE PRINCE DES POÈTES
(s'enlisant)
Aux doigts si... digitaux!

LA VEUVE DU RAIL
Auriez-vous bu, si tôt?

LE PRINCE DES POÈTES
Me l'accorderez-vous?

LA VEUVE DU RAIL
*(laquelle, taquine, avait en fait compris
depuis le fin début la toute nuptiale portée
du princier manège)*
En doutiez-vous, grand fou?

LE PRINCE DES POÈTES
(groggy d'extase)
Alors... Vous... Moi... Nous... Yeah!

LA VEUVE DU RAIL
Et si on se tutoyait?

Ensemble ils fixent sur un globe la destina-
tion de leur voyage de noces
S'il fait beau ce sera Rio et s'il vache-qui-
pisse ce sera Saragosse
Où qu'ils aillent ils iront en train histoire de
conjurer le sort
et puis ça laissera les mains libres pour imi-
ter les castors.

Entracte

LE COUVRE-CHEF

Tombera, tombera pas?

Une fois encore, la nuit tombe sur les hommes et, par cette nuit de café, sous une moustache de lait, une petite tête d'homme fume la pipe.

Tombera, tombera pas?

De la cendre de la pipe tombe sur le pavé.

Dong! Dong! Dong! Dong! Dong! Dong! Dong! Dong! Dong! Dong! Dong!

Tombera, tombera pas?

Dong! Le douzième coup de minuit vient à tomber.

Tombera, tombera pas?

La petite tête d'homme tombe, roule sur le pavé et le corps de l'homme s'enfuit dans la nuit de café.

Tombera, tombera pas?

À quelques rues de là, le corps de l'homme frappe des pieds et des poings sur la porte normalement jamais close d'une maison toujours ouverte.

Tombera, tombera pas?

La neige se met à tempêter sur la terre, recouvre le pavé et la petite tête d'homme avec.

Au petit matin, les enfants de la rue font un bonhomme de neige avec la neige de la rue.

Passe un gendarme à tête de chien qui flaire l'imposture et procède à l'arrestation du bonhomme de neige. Et le suspect de quitter la place dans un panier à salade.

Quand le panier arrive au commissariat, la carotte du bonhomme est cuite, le bonhomme tout fondu et le gendarme confondu. Dans le fond du panier ne restent que la salade et une petite tête d'homme dans une grande flaque d'eau.

Alors le gendarme met dans sa gueule la pièce à confusion et va, ventre à terre, la déposer sur un bureau, aux pieds de son maître.

De son troisième œil, de son sixième sens, le Chef reconnaît, sous la pipe au coin de la bouche en grains de charbon, la barbe postiche de givre, le chapeau de paille et la carotte, le Chef reconnaît la tête qu'il avait perdue la veille, allant souhaiter la bonne année à sa putain préférée, elle-même absente, puisque partie célébrer dans les bras de son député favori.

Tombera, tombera pus.

* *
*

FUNÉBRES RAILS

(La suite de la suite de... Ah! la barbe!)

DERNIÈRE ÉPOQUE

La Guerre au Rail!

Mais tapie dans l'ombre du décor, feignant
une vile torpeur,
la pelle à gâteau du destin n'attendait que
son heure...
Et déraille le train nuptial! Défaillent les
défunts futurs!
Dévalent les petites voitures dans l'indomp-
table nature!
Au bas du ravin tout n'est que sourd présage
et mort muette
Du couple bien-aimé tous ont sombré sauf le
Prince des Poètes
qui s'arrache à la carcasse fumante, écumant
d'amertume,
et éternuant parce qu'il a aussi chopé un
rhume

Le Prince des Poètes fou de douleur déclare
la Guerre au Rail
Voyez-le hagard hirsute errer de gare en
gare
projetant sur les hangars son ombre de
samouraï
armé d'une énorme spatule à remuer la
sauce tartare
Voyez-le sur l'acier froid du rail prêter une
ouïe suraiguë

supputant l'heure du passage de sa prochaine victime

Voyez-le ténébreux graver au canif le nom
de son éperdue

sur une traverse émue solidaire de sa peine
légitime

Voyez-le crocheter les aiguillages et
attendre l'heure

où se déversent les paquets sanglants de son
carnage vengeur

Bras de fer à finir entre le ferrovipathe forcené

et les forces de l'ordre sans cesse plus
concernées!

Signe particulier: le suspect aime à rire dans
sa barbe

en récitant «Hasard le nom du fruit, hasardier
le nom de l'arbre»

Bientôt toute une escouade grimée en sacs
de pommes de terre

opère une manœuvre d'encerclement avec
tant de science potagère

que voici le Prince des Poètes acculé au pied
du mur d'un entrepôt

réduit à prendre en otage (et en vain) un
innocent crapaud

LA POLICE
Rends-toi, tu es cerné!

LE PRINCE DES POÈTES
Misère, on m'a berné!

LA POLICE
Et lâche-moi ce crapaud,
ô Prince des Corniauds!

Le Don Quichotte du Rail termine sa folle
    cavale sur la paille de l'oubli
couvrant à la craie les murs de son cachot du
    nom de son abolie
et aussi d'équations en lesquelles des trains
    partis de points A et B
deviennent à mi-chemin de leur course
    d'horribles amas d'acier flambé

Curieuse curieuse passion
jamais vu ça en trente ans de prison
dit le geôlier en refermant le judas
de la cellule du Prince des Forçats.

                    *   *
                       *

RAPPORT PRÉLIMINAIRE

À en juger par l'état actuel de nos connaissances de l'Ancien Monde, ces dérisoires brimborions de mémoire parvenus jusqu'à nous, deux grands prophètes semblaient se partager — se disputer, même — la ferveur religieuse de la population. L'un s'appelait Coke©, ou Coca© (dit aussi *Le Vrai de Vrai*), et était originaire d'une obscure bourgade nommée Cola — la trop mince cartographie existante nous empêche de pouvoir situer Cola avec précision. L'autre prophète se dénommait Pepsi© et lui aussi venait de cette mythique Cola. Pepsi© et Coca©, Coca© et Pepsi©: qui étaient ces deux hommes, apparemment frères, indubitablement ennemis?

Selon les exégètes, l'histoire de cette lutte fratricide est consignée, subtilement transposée, dans la Bible. Mieux encore, les traits de Pepsi© et Coca© s'apparenteraient à ceux d'Abel et Caïn, personnages d'un sitcom extrêmement populaire à l'époque. À l'heure actuelle, on ne possède cependant aucune certitude et il serait donc prématuré de croire que l'un finit par tuer l'autre, tel que le rapporte la Bible. Ajoutons de surcroît que personne n'est encore en mesure d'affirmer ce qu'est cette fameuse Bible. Best-seller de l'Ancien Monde? Who's who branché? Missel de chambre de motel? Arme conton-

dante? Opiniâtre, pugnace, le mystère per-
dure. Revenons plutôt à nos moutons...

L'hypothèse la moins invraisemblable veut
que Pepsi© et Coca©, chacun de leur côté,
sillonnèrent les routes de l'Ancien Monde,
haranguant les foules, multipliant les pro-
diges, se rencontrant à l'occasion, se foutant
alors de mémorables trempes, avant de
repartir aussi sec, chacun mû par l'impérieux
désir de regagner à sa cause les partisans de
l'autre pourri.

Quand, où, comment moururent-ils?
S'entre-mutilèrent-ils réellement? Tout au
plus sait-on qu'en mémoire de leurs noms
l'usage voulut que fusse symbolisée l'essence de leurs êtres en deux capiteux breuvages
auxquels recouraient les fidèles de chaque
clan pour leurs quotidiennes ablutions. D'où
la traditionnelle représentation des deux
grands hommes sous la forme naïve de
réceptacles: bouteilles, canettes, urnes, etc.
De nombreux émules semblent avoir tenté
de s'attirer les faveurs des disciples coca-
liques et pepsicans. Malgré quelques succès
d'estime, ils ne parvinrent jamais à un stade
de popularité comparable à ceux de Coca©
et de Pepsi©, orgueils de l'obscure bourgade
de Cola.

À l'heure d'aller au lit, les recherches se
poursuivent toujours.

*Note: Périodiquement, les Pepsicans
étaient tenus d'éprouver leur foi en se sou-*

mettant au Défi Pepsi©, *aussi connu sous le terme glaçant de* Question, *cérémonie d'une extrême sobriété, propre à mettre en lumière l'authenticité de leur engagement spirituel. Le candidat désigné par le sort, les yeux préalablement bandés, devait goûter à tour de rôle aux breuvages des deux divinités et signifier de vive voix lequel de ceux-ci lui paraissait évoquer l'essence du prophète Pepsi©.*

D'après les maigres informations glanées à ce jour, ces divins nectars devaient renfermer des propriétés caractéristiques bien définies puisque rarement les candidats échouaient-ils à la Question. *On estime que les Pepsicans s'attiraient par là des faveurs particulières de leur dieu (protection, indulgence, pèlerinages gratuits, peluches, etc.) en savourant les transes d'une jubilation inouïe.*

*   *

*

UNE ERREUR DE GENÈSE

C'est jour d'assemblée générale pour le Conseil d'administration de la CUL (Compagnie universelle limitée). Dans la grande salle du Conseil, trônant autour d'une table ronde d'un parsec de circonférence, le Suprême Horloger prend connaissance des rapports de ses directeurs de succursale.

Durant toute la durée du Conseil, des essaims d'androïdes de pied gravitent avec frénésie autour de la table, véhiculant sur des plateaux magnétiques alcools et barbituriques variés. Au centre de la table, aisément observables au télescope, un groupe de danseuses ondoyent des hanches, meublant l'ennui des participants non interpellés par le sujet abordé à l'ordre du jour.

LE SUPRÊME HORLOGER
À qui le tour?

LE PRÉSIDENT DU CONSEIL
Dieu, de la succursale Terre.

DIEU
(exécutant le salut cosmique)
Tic tac, Suprême Horloger.

LE SUPRÊME HORLOGER
Coucou, mon vieux, coucou. Allez à l'essentiel, voulez-vous?

DIEU

C'est bon, Suprême Horloger: j'abrège. J'ai senti lors de mon dernier voyage éclair sur Terre une certaine insatisfaction de la part de la race humaine récemment implantée en ledit lieu.

LE SUPRÊME HORLOGER

Qu'est-ce à dire? Ils n'aiment pas la vie, ces troufions?

DIEU

Oh, si! Beaucoup, Suprême Horloger! Il faut les voir mordre dedans... Ah, ce sont de bons vivants!

LE SUPRÊME HORLOGER

Alors, où est le problème? Au fait, au fait!

DIEU

La mort, Suprême Horloger.

LE SUPRÊME HORLOGER

Plaît-il, mon petit Dieu?

DIEU

La mort. Arrêt total des fonctions vitales. Quelque chose dans ce genre-là. Plus grossièrement: ils crèvent, Ô Mon Suprême.

LE SUPRÊME HORLOGER

Comprends pas. Vous les avez pourtant bien conçus à mon image?

DIEU

Certes, Suprême Horloger, mais il semble y avoir un vice de fabrication. À moins que ça ne soit la climatisation? Faudrait-il plutôt accréditer la thèse de la contamination? J'ai des masses de rapports, mais pas deux qui vont dans le même sens. À vue de nez, ils meurent de toutes les manières. Au besoin, ils en inventent de nouvelles: rhume, noyade, chute, combustion spontanée, accident de chasse, duel au gourdin, piqûre de reptiles, dégustation de végétaux non identifiés...

LE SUPRÊME HORLOGER
C'est bon, Dieu, c'est bon, on a compris. Vos Terriens... meurent. C'est bien ça, je conjugue correctement?

DIEU
Oui, Votre Suprême. Pas un n'en réchappe. Si bien que, dans leur cas, je ne parlerais plus d'éternité de vie mais tout juste d'espérance.

LE SUPRÊME HORLOGER
(laissant son agacement coutumier faire place à un intérêt naissant)
Mais dites-moi, mon petit Dieu, que font-ils de leurs... morts? Tout ça ne doit pas faire bien propre...

DIEU
Que nenni, Suprême Horloger. Mais je note des progrès. Sous certaines latitudes, ils ont commencé à les brûler. D'autres préfèrent les ensevelir sous la terre. D'autres encore les... Bon, enfin, glissons, c'est sans intérêt. Je crains néanmoins que la décomposition des corps laissés à l'air libre n'entraîne la formation de miasmes spécialement douteux, et

dont la nature nous est parfaitement inconnue.

LE SUPRÊME HORLOGER
Et pour cause!

DIEU
Et pour cause, Suprême Horloger. Dois-je ajouter que la mort ne se limite pas à la race humaine? J'ai pris la peine de rester sur place quelques milliers d'années supplémentaires pour me livrer à une étude sommaire du phénomène. Mon enquête préliminaire m'a appris que tout sur Terre finit tôt ou tard par y passer, faune, flore et tout le bataclan. Pfffuit, Suprême Horloger, pfffuit!

LE SUPRÊME HORLOGER
(de plus en plus ému)
Mais, si je vous suis bien, à l'heure qu'il est, votre succursale doit être déserte?

DIEU
(enthousiaste)
Eh bien non, Suprême Horloger! Bien au contraire! Nous affichons complet! Au point de devoir provoquer de loin en loin quelques bonnes petites épidémies... Ou de déclencher çà et là de menues échauffourées fratricides afin de désengorger certaines portions du globe.

LE SUPRÊME HORLOGER
(visiblement intrigué)
Mais... Mais... Quelque chose m'échappe, cher Dieu.

DIEU
Je le crains fort, Suprême Horloger.

LE SUPRÊME HORLOGER
(chaussant ses lunettes de lecture)
Nous avions implanté... Laissez-moi consulter mes données... Nous avions implanté un milion d'unités humaines, garantie éternelle. Cependant vous m'affirmez qu'elles crèvent à tire-larigot. Comment expliquez-vous alors que vos indigènes n'aient pas encore été rayés de la succursale?

DIEU
(embarrassé)
Hmmm... Sa Suprématie n'est manifestement pas au courant, n'est-ce pas?

LE SUPRÊME HORLOGER
(manifestement pas au courant et en outre irrité)
Au courant de quoi, Dieu? Mais parlez donc!

DIEU
C'est que les formes de vie terrestres, toutes les formes sans exception, très loin de s'éteindre, ainsi que le laisserait présager le phénomène de mort plus tôt évoqué, se perpétuent avec une prodigalité qui fait plaisir à voir. Du point de vue d'un Créateur, s'entend.

LE SUPRÊME HORLOGER
Comprends pas. Il est vrai que je ne suis qu'un vulgaire spéculateur cosmobilier. Spliquez-vous, mon Dieu, spliquez-vous.

DIEU
(renonçant aux petits gants blancs)
Ils se... reproduisent, Suprême Horloger.

LE SUPRÊME HORLOGER
(dépassé)
Han?

DIEU
(s'empressant)
Ne Vous énervez pas. J'ai apporté des dessins, des schémas explicatifs, des holographies et des vues en coupe pour Vous rendre un compte exact et globalisant de toutes les parties impliquées dans le processus. Ayez la gentillesse de jeter un rapide coup d'œil sur ce dossier: je crois que Vous serez édifié.

Sans quitter son siège, Dieu insère une liasse de documents dans un téléporteur de données, liasse transmise au Suprême Horloger dans la nanoseconde.

LE SUPRÊME HORLOGER
Ho! Ho! Hon!

DIEU
Loin de moi l'idée de vouloir loger auprès de Votre Expertise l'ombre fugace du plus léger reproche... Mais tous ces organes... ces tentacules... ces appendices... ces orifices... Toutes ces glandes, ces hormones, ces sécrétions... Enfin, Vous me comprenez à mots couverts... Une queue, une fente... Mettez l'un et l'autre côte à côte et l'un finira tôt ou tard par ne pas aller sans l'autre.

LE SUPRÊME HORLOGER
(cassant)
Oseriez-vous plus ou moins subtilement insinuer que j'ai joué avec le feu?

DIEU
En tout cas, ça sent drôlement le roussi par là-bas.

LE SUPRÊME HORLOGER
Bon, que voulez-vous que je vous dise? On ne fait pas d'omelette...

DIEU
(parachevant le dicton)
Sans casser d'œufs.

LE SUPRÊME HORLOGER
L'intention est bonne, mais laissez-moi le plaisir de me citer moi-même, voulez-vous?

DIEU
Je Vous prie d'accepter mes excuses, Suprême Horloger. La moutarde — une cruciféracée typiquement terrestre — m'était inconsidérément montée au nez.

LE SUPRÊME HORLOGER
Soyons pratique, Dieu. D'après votre connaissance du problème, que pourrait-on faire pour espérer remédier à la situation? Je me souviens du cas des indigènes de ce planétoïde du côté de la banlieue de Gyropède et de leurs démangeaisons frénétiques — un cas exposé par Durand, si je ne m'abuse?

DURAND
Tic tac, Suprême Horloger!

LE SUPRÊME HORLOGER
Oui, merci, Durand, on vous a pas sonné.
C'est ça, coucou, mon vieux, coucou. *(À Dieu:)*
Peut-être un léger déversement de Pédalosol
pulvérisé dans l'atmosphère terrestre suffi-
rait-il à enrayer ces... mœurs?

DIEU
Et, par le fait même, à éliminer toute repro-
duction? C'est condamner la Terre à la mort,
Suprême Horloger. Pareille entreprise s'élè-
verait en faux contre notre mandat, qui est
de créer la vie...

LE SUPRÊME HORLOGER
(un rien sarcastique)
C'est gentil à vous de me le rappeler, Dieu.
Que diriez-vous d'étudier de nouveaux marchés? Celui de la mort, par exemple, en l'ex-
périmentant personnellement?

DIEU
(se faisant petit, petit, petit)
Je suis navré, Suprême Horloger. Je ne
recommencerai plus.

LE SUPRÊME HORLOGER
C'est bon pour cette fois. Que diriez-vous
d'expédier toutes ces unités à l'Atelier pour
une révision générale, hmmm?

DIEU
Je sais pertinemment que nous disposons de
toute l'Éternité, Votre Horlogerie, mais ce
rappel exigerait, toutes proportions gardées,
une somme colossale de temps et d'énergie.
Entre-temps, l'horizon continue à se

répandre de toutes parts. Le travail ne manque pas et Votre Suprême Planning ne souffre aucun retard. «Une seconde de perdue, trois cent mille kilomètres de foutus», comme le dirait la Lumière.

LE SUPRÊME HORLOGER
Dites-moi, vos Terriens, là, ils ont bien un langage, non?

DIEU
Plusieurs, même.

LE SUPRÊME HORLOGER
Et si on leur raconte des histoires, dans des mots tout simples, ils la gobent? Enfin, je veux dire: ils la comprennent?

DIEU
Évidemment...

LE SUPRÊME HORLOGER
Mon petit Dieu, je crois que voici réglé votre petit problème de mortalité. Nous allons leur promettre la vie éternelle, mais effective seulement à l'issue de leur vie terrestre.

DIEU
(exubérant)
C'est une idée splendide! Splendide et noble! Mais comment Vous y prendrez-Vous pour tenir cette promesse?

L'assemblée générale est parcourue d'un rire qui ne l'est pas moins.

LE SUPRÊME HORLOGER
Allons, mon petit Dieu, allons! Ne jouez pas les enfants de chœur. J'ai parlé d'une histoire.

DIEU
Mais alors, cette promesse constitue, en quelque sorte, en autant que je sois concerné, en définitive et en somme...

LE SUPRÊME HORLOGER
Un mensonge? N'est-ce pas le mot que je crois voir suspendu à vos lèvres?

DIEU
Ben...

Le Suprême Horloger écarte les bras et désigne tous ces preux chevaliers d'industrie massés autour de la table ronde.

LE SUPRÊME HORLOGER
Et pourtant, la vie éternelle n'existe-t-elle pas?

Dieu opine d'un bonnet contrit, à contre-cœur.

LE SUPRÊME HORLOGER
Je suis éternel, tu es éternel, il est éternel, nous sommes éternels, vous êtes éternels... Quant à eux, ils le seront un petit peu moins que les autres, voilà tout. Inutile de s'éterniser sur la question.

DIEU

Sauf Votre respect, Suprême Horloger... Le concept de vie éternelle ne risque-t-il pas de leur paraître un peu gros?

LE SUPRÊME HORLOGER

Ça va de soi, mon petit, qu'on le leur balancera pas comme ça dans la gueule. Il faudra les amadouer... prévoir des préliminaires... sonder le terrain... désigner des meneurs d'hommes... mener une campagne de promotion... multiplier les rebondissements... préparer une finale grandiose, avec de la foudre et tout le tremblement: la Révélation. Ils avaleront tout ça comme du petit lait, vous verrez. Qu'ils l'avalent ou non d'ailleurs, je m'en pèle le jonc: il n'y aura pas de réclamation.

DIEU

C'est bien, Suprême Horloger. Si Vous le permettez, je sollicite l'autorisation de me retirer immédiatement. Je m'en vais de ce pas me concerter avec mon co-scénariste.

LE SUPRÊME HORLOGER

Ce jeune Satan?

DIEU

Lui-même.

LE SUPRÊME HORLOGER

Un garçon plein de promesses... Allez, mon Dieu, foncez dans le tas. Votre fougue fait plaisir à voir.

DIEU
(exécutant le salut cosmique)
Tic tac, Suprême Horloger.

LE SUPRÊME HORLOGER
Coucou, Dieu, coucou! *(En aparté)* Curieuse affaire tout de même, que cette mort... Faudra que j'aille faire un tour par là pour voir ça de plus près. Et puis, les colonies, ça vous a toujours un certain charme...

LE PRÉSIDENT DE L'ASSEMBLÉE
Biguebagne, de la succursale de Tétrarcturus-la-Jolie!

BIGUEBAGNE
(salut cosmique)
Tic tac, Suprême Horloger!

LE SUPRÊME HORLOGER
Coucou, ma vieille! Crachez-moi votre salade à la vitesse de la poudre d'escampette, voulez-vous?

* *
*

Histoires d'ouvre-tombe

LES PREMIERS PAS DE L'ANGE

Après avoir assisté pour une première fois
à une séance de La-Vie-de-Tous-les-Jours-
    au-Ciel
l'Ange-Recrue est empli de désarroi
à la vision de l'océan des Décédés-du-Jour
piétinant au seuil des Célestes Écluses
Débordant de candeur
il exprime sa stupeur
à son Ange-Entraîneur:

— Ils n'ont rien emporté?
— Que le gramme de bagage alloué.
— Je ne vois pas. Quel gramme, où ça?
— La sale petite lueur pas fraîche, là. Et là.
— Ah... Ça? Le sombre halo douteux, là? Et
    là?
— Voilà: l'espèce d'aura morne et mal rasée.
— Beuh!
— Bon, c'est pas le tout, y a encore le Purg'
    à voir. Tu suis?
— Je suis.

Et tout en voletant vers la suite de la visite
    du Royaume
l'Ange-Recrue n'en a pas moins une pensée
    navrée
pour la foule des Décédés-du-Jour
Quelle ironie ronflante
quel sarcasme cinglant
quel humour mordant
et quelle morose moralité
que ce tout petit gramme

que le tout petit gramme de leur âme

La seule richesse
qu'ils ont pu ici-haut emmener
est la plus pauvre de toutes.

* *
*

CONSEILS AU MORT DÉBUTANT

On se calme!
En mourant n'allez pas vous faire de mouron
il y a des tas de gens versés dans le rayon
Si on vous a laissés un peu mourir n'ayez
    crainte
on ne vous laissera pas pourrir sur place
Restez de marbre gardez votre sang de
    glace:
les travailleurs de la mort travaillent pour
    vous!

Bonjour docteur
Dites-vous que le médecin a l'habitude de
    ce genre de choses
et qu'en cherchant votre pouls il lui paraîtra
    tout naturel de ne pas le trouver
Voyez-le se retourner vers vos proches en
    se décomposant un amour de petit
    masque mortuaire de circonstances
Voyez-le laisser tomber dans le silence un
    c'est fini infiniment convenable
Voyez-le ramasser son stéthochose avec
    une pompe toute funéraillesque et l'en-
    voyer dinguer avec soin dans sa trousse
    sitôt bouclée
schlique schlique
en n'en pensant pas moins «Suivant!»

Chez l'entrepreneur en pompes funèbres
Dites-vous bien que l'entrepreneur en
    pompes funèbres aussi a l'habitude

Chez lui c'est comme chez le tailleur avec
   des planches au lieu du tweed
c'est l'orfèvre du prêt-à-porter-en-terre
Voyez-le dans sa salle de montre caracoler
   de l'un à l'autre cercueil en vous exposant
   sobrement les mérites de chacun
Voyez-le promener avec une morgue non
   exempte de tendresse affectée sa main
   sur le couvercle de son SPÉCIAL DU MOIS
Chêne millésimé verni anti-glaise garanti
   anti-vers
modèle deux portes avec capote et le rétro-
   viseur sur le côté
une chouette petite conduite intérieure
   toute capitonnée
radio ante meridiem post mortem
tout le saint-frusquin le fin du fin du défunt
Après tout on ne meurt jamais qu'une fois
autant pourrir en grande n'est-ce pas?
Voyez-le seul à seul avec vous dans l'inti-
   mité
prendre vos mensurations avec son galon à
   inhumer
multipliant facéties et taquineries
Que vous aviez un grand nez
c'était pour mieux vous moucher
Que vous aviez une grande ça
Que vous aviez de grosses ci (etc., etc., etc.)

Entre les mains de l'embaumeur
N'oublions pas l'embaumeur
l'embaumeur aussi en a vu d'autres
en fait il n'a jamais vu que ça
si bien qu'à la longue il a développé malgré
   lui
une curieuse manière de regarder les
   vivants

un regard intimiste
le regard qui déshabille
le regard qui éviscère
Quand il en a terminé avec vous
il vous met sous le nez un petit miroir
comme chez le coiffeur
(C'est de l'humour noir d'embaumeur
uniquement transmissible de bouche à
    oreille d'embaumeur
N'y faites pas trop attention
ça vaut toujours mieux que l'humour jaune
    des médecins-légistes)
Avant de vous retourner à l'envoyeur il
    compare votre tête d'enterrement avec un
    portrait de votre vivant
c'est important puisque vous aviez exprimé
    de votre stupide vivant le souhait d'être
    exposé dans une Galerie d'Art mortuaire
En général à ce moment-là en cas de dis-
    parité
jugeant inutile d'aggraver davantage les
    dégâts
l'embaumeur retouche la photographie plu-
    tôt que votre anatomie

Chez l'entrepreneur en pompes funèbres (suite et fin)

Vous revoilà chez votre vieil ami l'entrepre-
    neur en pompes funèbres
qui vous accueille à bras ouverts dans sa
    prestigieuse galerie
De la même manière qu'un hôtelier vous
    garde toujours sa plus belle chambre
et le sommelier sa meilleure bouteille
et le boucher son meilleur morceau
l'entrepreneur vous réserve toujours sa plus
    belle salle

Soir de grande dernière

De très lointains proches viennent bavoter
   sur le verni de votre bière d'incohérentes
   litanies

aveux complets et vomitifs sur des vache-
   ries variées commises autrefois à vos
   dépens et jamais revendiquées

et autres fautes complètement pardonnées
   puisqu'à moitiés avouées

Demeurez stoïque dans l'adversité

Ne vous départissez pas de votre petit air-
   d'être-au-dessus-des-choses-de-l'ici-bas

Remarquez plutôt à quel point les vivants
   se montrent ce soir spécialement satis-
   faits de l'être

Ne vous alarmez pas de leur passager com-
   plexe de supériorité

bon nombre de ces vivants sont en réalité
   depuis longtemps bien plus morts que
   vous ne le serez jamais

Ne vous formalisez donc pas de la suffisance de ces verticaux provisoires

de ces enterrés debout qui creusent à
   belles dents leur propre tombe

futures cantines cinq étoiles promises aux
   asticots gourmets

Laissez-les se passer des cigarettes en
   susurrant leur *c'est la vie*

laissez-les faire de la cendre pendant qu'ils
   n'en sont pas encore

laissez-les encore un peu jouir par tous
   leurs orifices

laissez-les savourer ce simple répit ce pré-
   caire sursis

Vous leur êtes au fond une horrible gêne

le rabat-joie qui leur rappelle l'inexorable
   couvre-feu

et leur condition de témoins gênants appe-
lés à disparaître
N'est-ce pas merveilleux d'être de tous le
seul à ne plus *rien* craindre?

Le fossoyeur
Vient enfin le fossoyeur
ultime maillon de la chaîne des travailleurs
de la mort
de loin l'être le plus intéressant et le plus
désintéressé de toute cette mortelle ran-
donnée
Avec lui un trou reste toujours un trou et un
tas un tas
peu importe qui va dessous
malfrat du bouton à quatre trous
ou ténébreux petit magnat du diamant
Avec lui pas de discrimination dans la mort
pas un trou ni plus beau ni plus laid ni plus
creux ni plus grand
Dans la vie les monuments varient en prix
mais devant la mort tous les trous sont
égaux
(De grâce
pas de plaisanterie déplacée en présence
de cet humble professionnel
rappelez-vous qu'un fossoyeur digne de ce
nom n'a *jamais* vu de mort)

La gestion des vivants
Apprêtez-vous désormais à savourer votre
dernier repos
Ne soyez pas trop impatient face à ceux qui
le troubleront
ceux qui viendront vous relancer vous
regretter vous fleurir la dalle vous asti-
quer l'épitaphe

Imaginez-les aux prises avec la sombre
escadrille des vautours de la vie quotidienne les entrepreneurs en emmerde-
ments les resquilleurs de l'impôt les
fureurs du proprio les humeurs du patron
les états d'âme du conjoint les caprices
des maîtresses les bulletins des enfants et
les besoins du chien sur le carrelage de
la salle de bain et j'en passe et des milliards
Les vivants méritent toute votre estime
Réconfortez-les d'un silence magnanime

Et surtout...
Éclatez-vous!
Faites la bombe funèbre!
Mordez dans la mort
car les morts aussi ont toutes leurs dents!

*   *
*

BOMBE FUNÈBRE

Au vivant, l'amante dit: «Fais-moi l'amour...»

Au défunt, la morte dit: «Fais-moi la morgue...»

1

Sous la clarté lunaire
d'une nuit printanière
je marchais débonnaire
dans un joli cim'tière
lorsque soudain j'entendis
de la terr' sans contredit
une voix d'outre-tombe
qui parlait d' faire la bombe:
   «Pose tes phalanges
   cher ange
   sur mon bassin
   cher poussin
   En tête à tête pour toujours
   ah! ce qu'on est bien, mon amour!
     J' t'ai dans la peau
     mon tout beau
     dois-je dire plutôt
     dans les os
     Quel plaisir de sentir nos côtes
     s'emboîter les unes dans les autres!»

2

Une partie d' jambes en l'air
au cœur de ce cim'tière
voilà six pieds sous terre
qui sortait d' l'ordinaire
Discrètement je posai
ma tête sur la rosée
et tout contre mon tympan
retentit ce doux chant:
    «T'as d' belles vertèbres
    mon zèbre
    Donne-m'en un coup
    mon p'tit chou
    Je veux sentir en moi ton sceptre
    même s'il n'en reste que le spectre!
        Pour ton cadavre
        je bave
        Pour ta dépouille
        je mouille
        Tu me fais voir des chiées d'étoiles
        jusque dans le fin fond d' la moelle!»

3

Alerté par les éclats
de ces funèbres ébats
sur un' bicysquelette
surgit un grand squelette
le fantôme en casquette
d'un flic à la retraite
réprimant ce délit
nommé nécrophilie:
    «Que d'agissements
    désaxés
    que d'attouchements
    déplacés

150 *féeriepéties*

Je vous ordonne sur-le-champ
de vous rhabiller sous le champ!
    Rendez-vous compte
    quelle honte
    faire la morgue
    de la sorte
    Si vous n' cessez pas ces coutumes
    j' vous arrête pour tapage posthume!»

4

Mais au-dessus d' la tombe
dans la douce pénombre
en un gracieux ballet
vol'taient les feux follets
Ravis les vieux paquets d'os
poursuivaient leur nuit de noc's
entonnant pour le flic
ce chant d'un' voix lubrique:
    «Que j'aime ton cu...
    bitus droit
    Que j'aime ton pé...
    roné froid
    C'est étrange ce que la poussière
    tarde à redevenir poussière!
        Dans tes orbites
        je crois
        voir des pépites
        de joie
        Et dire que les corniauds d'en haut
        appellent ça le dernier repos!»

5

À leur tour contaminés
leurs bas instincts ranimés
les autres locataires

d' la cité funéraire
les uns en solitaire
et les autres par paires
se passèrent tous le mot
et firent craquer leurs os
    La mort dans l'âme
    le gendarme
    fit *vade retro*
    à vélo
    en regrettant le temps jadis
    où l'on respectait la justice
        Tandis qu' nos deux
        amoureux
        monsieur, madame
        feu Laflamme
        au septième sous-sol de l'extase
        prenaient leur pied (ou métatarse!)

* *
*

LIAISON FATALE

Cent mille fois, je l'ai quittée; cent mille fois, je lui suis revenu.

Cent mille fois, je lui ai tourné le dos, m'éloignant, rageur, résolu, orgueilleux, me promettant avec la fermeté de l'oracle de ne plus la jamais laisser m'abattre, m'abuser, m'abîmer. Cent mille fois, j'ai rompu mon vœu et réintégré son giron, rampant, penaud, fébrile, lui quémandant la menue dose de jouissance qu'elle seule pouvait me procurer. Car jamais son baiser ne me faisait l'effet d'une seconde, d'une dixième ou d'une millième prise: c'était, avec elle, toujours la première fois. Elle était *la*; elle fut toutes mes *ma*; ma seule *celle*; mon unique mamelle.

Je l'ai retrouvée dans tous les lieux imaginables, à l'angle de toutes les rues connues, sur les bancs de tous les squares, devant toutes les salles de tous les cinémas, sous les portiques de tous les immeubles, dans tous les abribus, au cœur de tous les terrains vagues de toutes les banlieues. Pour elle, j'ai affronté la colère de mon père; essuyé le mépris de ma mère; perdu l'estime d'amis chers; subi même les brimades de purs inconnus.

Pour elle, j'ai bravé tous les vents, toutes les pluies, toutes les grêles, toutes les tempêtes. Pour elle, j'ai laissé l'air délicieusement climatisé pour la canicule poisseuse, et l'enivrante chaleur d'un home douillet pour les rigueurs sibériennes du Père Hiver. La guerre la plus atroce aurait pu sévir et l'acier, le feu, la mort lécher tous les murs de la cité; je ne les en aurais pas moins rasés toute une nuit, ventre ouvert, tripes pendantes, pour la retrouver, la respirer, lui tendre mes lèvres...

Pourtant, elle ne m'a jamais adressé le moindre mot, jamais accordé le moindre regard. Si elle s'offrait à moi, c'était avec cet air absent qu'ont les femmes qui se donnent pour mieux recevoir, parce que c'est leur métier d'avoir reçu pour s'être données. Et, me laissant prendre à mon propre désir, je la prenais une, dix, vingt fois sans jamais me lasser; seuls mon souffle, mon cœur, mon corps m'intimant enfin de me retirer, de m'enfuir, de me laisser en somme me sauver provisoirement la vie.

Je n'ai rien jamais retenu, pas même une «leçon de vie», comme ils disent dans les magazines ou les talquechauds. Elle me rendait chaque jour plus anéanti, exsangue, confus, livide, glacé, nauséabond, étourdi, écœuré, ankylosé, migraineux, irascible, vulnérable, semant chez qui croyait bien me connaître un doute affreux: qui de mon ombre ou de moi était le plus vivant des deux?

Elle m'a roulé jusqu'à mon dernier sou, conduit jusqu'à mon dernier souffle, après m'avoir fait passer par toute une gamme — descendante — de maux lancinants. Elle a accaparé pendant ces années toutes mes pensées jusqu'à l'ultime. Elle a fait des brouillards de mes nuits et des cauchemars de mes jours. Et je n'en rêvais pas moins de terminer ma vie sur terre avec elle, nous remémorant nos frasques d'antan, savourant la bouffée de l'instant présent, effeuillant des projets d'avenir mort-nés — un souhait qu'elle exauça au-delà de mes plus folles attentes.

J'ai devant moi toute l'éternité pour me rappeler la minute où elle m'a foudroyé, au beau milieu d'une volée d'escalier, la main sur le cœur, la mine globuleuse, toute ma personne pénétrée de cet effroi puéril qu'éprouvent depuis toujours les grands enfants pour la mort. Combien de secondes ai-je posé pour les beaux yeux de la posthumité avant que de cracher mon âme? Deux ou trois? Et qu'ai-je vu? Je vous le donne en mille: cent mille fois elle, elle et moi, nous quoi, en tout lieu, à tout heure, au lit, à la plage, écrivant, à table, pianotant, en balade... La reprise de toute une vie vouée à une lente, vertigineuse, exaltante agonie: une combustion réfléchie, mûrie, pleinement préméditée.

Évidemment, l'ironie voulut que je m'apprêtasse à rendre visite à une femme — une autre blonde qu'elle, incidemment. À quel point cette crise de jalousie panique, survenue si tard et si fort, était-elle légitime? Avais-je jamais pris ombrage du fait qu'elle me trompât simultanément et en permanence absolue avec deux ou trois bons milliards d'autres individus?

Depuis ce triste événement, je ne vous cache pas que j'ai pris du mieux. Et que je prends un malin plaisir à faire des ronds dans l'au... delà. Saviez-vous que les fumeurs sont exemptés d'Enfer? Satan m'a dit sans rire que j'avais déjà vécu le mien sur terre et renvoyé sans plus de cérémonie au Ciel où, curieusement, baldaquins de nuées, chœurs d'angelots et divine trinité sont masqués par un brouillard compact et perpétuel.

Plus que jamais et pour toujours, Dieu est un fumeur de havanes.

* *
*

LA DIVINE ENTREVUE

1

«Mon Dieu c'est trop d'honneur que vous me
   faites
d'ainsi m'accueillir en votre retraite
Tous ces hautbois et toutes ces musettes
doivent coûter une jolie galette...

— Mon fils n'y voyez là qu'une manière
de me fair' pardonner la cavalière
façon que j'ai de rappeler à moi
les pauvres âm's dont le salut m'échoit

2

«J'admir' votre conscienc' professionnelle
néanmoins était-il nécessaire qu'elle
s'en prenne à moi en pleine nuit de noces
c'est là faire un orphelin bien précoce...

— Certes vous me voyez confus mon fils
d'avoir saboté le feu d'artifice
mais si vous n'aviez pas repris trois fois
de tous les plats vous n'en seriez pas là

3

«Ainsi mon Dieu l'expérience est probante
et votre omniprésence est permanente
Sauf vot' respect je n' vous aurais pas cru
sur le qui-viv' jusqu'à cette heure indue...

— S'il est une face de la planète
qui toujours se trouve à faire la sieste
le métier de Dieu n'autorise guère
le sommeil entre deux fuseaux horaire

4

«Nous devisons gaiement mais je suppose
que mes antécédents me prédisposent
à m' faire roussir le poil des roubignolles
plutôt qu'à m' faire tailler une auréole...

— Mon fils sachez que depuis bell' lurette
circulent sur mon compte des sornettes
j' n'ai rien du dieu vengeur dont la rumeur
me prête inconsidérément l'humeur

5

«Si ce n'est pour m'expédier en enfer
récurer les marmites à Lucifer
faites-moi la grâce de m'expliquer
ce que chez vous je peux bien fabriquer...

— Allons petit votre candeur m'agace
soyez un tantinet plus perspicace
Sous ma tignasse et ma barbe postiche
se dissimule un' femme aux yeux de biche

6

«Est-ce à dir' que tous ces petits ang'lots
planant de ci de là sont des trav'lots?
Laissez-moi poliment m'abasourdir
et n'accorder nulle foi à vos dires...

— Naguèr' mon fils a détrompé Thomas
j'en ferai autant de vous, renégat
Glissez la main sous mon ample tunique
et le doigt dans le lieu de polémique

7

«Ma foi mon Dieu vous êt's une déesse
et je me convertis dans l'allégresse
Si mes copains de la terr' savaient ça

tous m'emboîteraient le pas et le bras...

— Oubliez vos ternes plaisirs mortels
et venez plutôt braver l'Éternelle
Il est un' partie de bête à deux dos
que vous aviez entreprise plus tôt
Terminez-là mon vieux
sur une bête à bon Dieu!

*   *
*

IL N'ÉTAIT PAS BIEN GROS

Une femme pleure
À côté d'elle un homme attend
Devant eux... quelque chose
Autour d'eux... d'autres choses
Mettons nos lunettes et tâchons de tirer
*   cette situation au clair*
Une femme en habits rayés pleure beau-
*   coup*
De grosses larmes lui tailladent les joues
Elle a un amour de petit boulet
et des chaînes
et elle pleure
À côté d'elle se tient un gardien qui tape du
*   pied*
et qui tient une petite horloge dans sa main
*   de grand-père*
Devant eux une pierre tombale
Autour d'eux tout un cimetière

LE GARDIEN
(qui s'en veut mais n'y peut rien)
Faudrait peut-être songer à y aller ma p'tite
dame...

La p'tite dame n'a pas entendu alors il
*   répète*

Faudrait songer à y aller ma p'tite dame... Et
puis vous faites que vous faire du mal.

Mais la p'tite dame n'entend rien
Six pieds sous elle ci-gît son époux
Et molto sotto voce elle murmure
dans la trompe acoustique de la tombe

LA FEMME
Oh chéri je regrette je regrette je regrette...

LE MARI
(qui écoutait à la pierre)
On dit ça on dit ça on dit ça...

LA FEMME
(trépignant)
Oh chéri tu m'entends tu es là ô quelle joie!

LE MARI
C'est pas un peu fini tout ce branle-ici-bas?
Et le respect des morts? Bien sûr que je suis
là! Où voudrais-tu que j'y sois? À la maison
au coin du feu à fumer la pipe?

La femme serre contre elle son boulet
    comme naguère son époux
mais celui-ci était plus mou et sentait la pipe

LA FEMME
Oh mon chéri quel malheur que soit révolu
ce temps si mou qui sentait la pipe! Je
regrette mon chéri comme je regrette!

LE MARI
(résolument agacé)
Tu me les décomposes à la fin!

Et la femme se jette face contre terre
et sa tête creuse fébrilement le sol
comme si elle...
Mais le gardien qui n'en est pas un de zoo
tente de contenir
et la larme à son œil

et la p'tite dame
que le désespoir transforme en autruche

LA FEMME
(dominant sa douleur)
Ne sois pas vulgaire mon chéri. Pour te remonter le moral, monsieur le gardien et moi t'avons préparé une histoire drôle.

LE MARI
(sceptique)
Encore des côtes cassées en perspective...

LA FEMME
Moi je suis une prostituée *(elle salue)* et monsieur le gardien est mon client *(il salue)*.

LE MARI
Rien de nouveau sous le soleil.

LA FEMME
Oh chéri ne sois pas déplaisant...

LE MARI
Chéri n'est pas déplaisant. Chéri a la mémoire longue.

LA FEMME
Écoute plutôt notre histoire...

LE MARI
Pas la peine, je la connais déjà. C'est celle de la pute qui fait des pipes en chantant.

LA FEMME
Tiens, c'est vrai, tu la connais...

LE MARI
*(pas visiblement mais assurément piqué
au vif)*
Oui, et ici elle ne fait plus rire personne! C'est
à la portée du premier mort venu!

LA FEMME
Tu as changé mon chéri...

LE MARI
(sarcastique)
Possible!

LA FEMME
As-tu oublié ce qu'est le rire?

LE MARI
(d'un trait, sans respirer)
Rire! La belle affaire! Quand j'ai voulu rire,
cette semaine, je suis allé au cinéma et on
m'a refusé l'entrée... L'horreur est sur l'écran,
pas dans la salle, qu'on m'a dit... Je suis
passé chercher notre fille à la sortie de l'école... Non seulement elle ne m'a pas reconnu,
mais elle et ses petites copines se sont payé
un tournoi d'osselets sur mon dos... Je me
suis réfugié au square, pas longtemps, les
chiens m'ont démembré et enfoui aux quatre
points cardinaux... Partout où je me pointe, y
a quelque chose qui cloche... On se taille on
s'indigne on défaille on se signe on se marre
on me renifle on s'effare on me siffle mais
jamais on ne me laisse en paix avec ce qu'il
me reste de chair et d'os... Les morts n'ont
pas leur place dans la société! À croire qu'on
n'est bons qu'à faire des pipes en chantant!

LA FEMME
Tu t'en fais trop mon chéri...

LE MARI
Facile à dire! Hier j'ai croisé Lempalé qui a levé les pattes en 37, depuis le temps, il aurait dû apprendre à se montrer correct avec ses compagnons d'infortune... Moi je ne l'enquiquinais pas, j'allais mon petit squelette de chemin... Eh bien, ce sournois m'a donné un croc en tibia, comme ça, pour rien... Comme je ramasse mes morceaux en maugréant, il me dit de fermer mes maxillaires... Comme je m'insurge, il me cueille un radius, le lance dans l'allée et me dit: «Va chercher et rapporte en enfer!»... Il m'a purement et simplement envoyé au diable... Il m'appelle la grande coquette!

LA FEMME
Ce sont des jaloux mon chéri.

LE MARI
Parfaitement! Ma cravate les agace! Ils ne supportent pas qu'un mort fasse preuve d'un peu d'humanité.

LA FEMME
Te laisse pas faire mon chéri... Ris leur au nez!

LE MARI
Sûr! Un mort aussi a toutes ses dents! C'est écrit noir sur blanc dans la brochure des conseils au mort débutant.

LE GARDIEN

Teuheu, teuheu... Voudrais pas vous brusquer ma p'tite dame mais faudrait y aller. La permission est finie depuis cinq minutes et mon ventre commence à faire de la musique...

LA FEMME

Tu es encore là mon chéri?

LE MARI

Non, je suis en enfer et j'avale du feu.

LA FEMME

Faut qu' j'y aille mon chéri...

LE MARI

C'est toujours la même histoire, c'est pas malin, tu vas, tu viens, ton gardien a faim et tu fous le camp.... J'en ai marre... Un de ces jours, je vais me fâcher et ça va faire du vilain... Au point où j'en suis, je ne risque plus grand-chose...

LA FEMME

Oh mon chéri je n'ai pas voulu cela je n'ai pas voulu toutes ces choses... Au fond je n'ai pas voulu vraiment te tuer...

LE MARI

On dit ça, on dit ça... Tu tenais un autre langage avec le rouleau à pâte...

LA FEMME

Oh chéri je regrette je regrette je regrette comme je regrette...

LE MARI
(magnanime)
Bon... Je suis bonne pâte, je passe l'éponge.

LA FEMME
Tu me fais une grosse bise?

LE MARI
Devant ton gardien? Des trucs pour qu'on te colle une sentence pour nécrophilie par-dessus ta perpète!

LA FEMME
Au point où j'en suis...

LE GARDIEN
(qui s'est mis à taper du pied
sur la terre qui s'est mise à trembler)
Teuheu, teuheu, teuheu!

LA FEMME
Couvre-toi bien la nuit... Au revoir mon chéri...

LE MARI
Au re... À la prochaine...

Le gardien escorte la femme sur le chemin
    du retour
Galant il lui porte son boulet
Bon enfant il plaisante

LE GARDIEN
Alors ma p'tite dame? On a enterré le rouleau à pâte?

Évoquant de nouveau le terrible événement

elle écarte ses index de quelques centi-
mètres

LA FEMME
Oh vous savez... Il n'était pas bien gros...

Enlevons nos lunettes...

*   *
    *

LE REVENANT DE MÈRE-GRAND

pour Anna Cialdella

1

J' vous jur', c'est pas de la p'tit' bière
que d' vivre aux côtés de Grand-Mère
Déjà qu'en vie ell' nous rendait
la nôtre insupportable à souhait
Nous qui n'aspirions qu'à la paix
imaginez-nous désormais
aux prises avec son revenant
qui n'est guèr' plus accommodant

Refrain: Aux prises avec un revenant de
cette trempe
Oh grises, vite! seront dev'nues
nos tempes...

2

Promis, elle y va pas d' main morte
quand il s'agit d' claquer les portes
Nous on lui dit: «Pourquoi Grand-Mère
ne pass'rais-tu pas au travers?
Ça nous épargnerait d' sans cesse
avoir des coups d' vent dans les fesses
ou de voir les port's se fermer
inopinément sur nos nez...»

3

Parol', ell' ne donn' pas sa place
quand il s'agit d' casser la glace
Nous on lui dit: «Pourquoi Grand-Mère
chercher noise à ce pauvre verre?

S'il ne te renvoie plus l'image
du temps vécu tourne la page
ou alors fais-toi recharner
ton joli minois d' macchabée...»

4

Tous les soirs c'est la mer à boire
pour la chasser de la baignoire
Nous on lui dit: «Pourquoi Grand-Mère
ne pas demeurer dans ta bière?
Tout au moins veuill' nous avertir
lorsqu'enfin tu daign's en sortir
On aim'rait bien se nettoyer
sans être accusés d' te noyer...»

5

Garanti, c'est pas du gâteau
pour la fiche hors de nos fourneaux
Nous on lui dit: «Pourquoi Grand-Mère
ne pas demeurer aux enfers?
Là-bas le feu est mieux fourni
ici tu risqu's la pneumonie
sans compter qu'il s'rait indigeste
et mal venu d' croquer tes restes...»

6

Os'rais-je sans manquer de tact
des mill' tours qu'elle a dans son sac
pointer de tous le plus malsain
ourdi par son esprit malin
S'étant cachée dans un tiroir
à la mi-hauteur de mon corps
elle s'en éjecte brusquement
au moment où je suis devant

7

J' vous jur' que si j'étais l' bon Dieu
je l'eûs logée sous d'autres cieux

quitte à d'voir la ressusciter
mieux encore la réincarner
en fleur afin qu'ell' prenn' racine
en blé qu'elle devienn' farine
en loir pour que toujours ell' dorme
enfin sous l'une ou l'autre forme...

8

Mais de tout's les métamorphoses
auxquell's je rêv' mon choix se pose
après longue et mûr' réflexion
sur celui du gai papillon
plus facile à prendre au filet
qu'un' grand-mèr' fantôme au collet
qui n' se tir' pas à quatre épingles
et n'est bonn' qu'à vous rendre dingue...

9

Mais ce n'est pas en fabulant
qu'on s' moque d'un fantôme ambulant
Retombons les deux pieds sur terre
cependant qu'à son ordinaire
Grand-Mèr', les quatre fers en l'air,
est à mettre tout à l'envers
sans dessus dessous notre toit
qui donc nous en délivrera?

Aux prises avec un revenant de
cette trempe
Oh grises, vite! seront dev'nues
nos tempes...

* *
*

AUX DOUANES DU CIEL

— Rien à déclarer?
— Non, je crois pas.
— Et ce truc, là, dans votre dos?
— Oh! Un couteau...
— Confisqué!
— Ça, je veux bien.
— Et dans vos mains?
— Trois fois rien...
— Mais encore?
— Un chant d'oiseau
  un baiser de femme
  un coin de pays
  cent soixante dix-huit mille deux cent
  quatre-vingt-quinze souvenirs d'enfance
— Et que comptez-vous faire de tout ça?
— Une nouvelle vie.
— *Ici?*
— Ici.

Un temps mort. Passe un essaim d'anges.

Le Concierge désigne au touriste une brèche entre deux nimbus.

— Passez donc plutôt par là.
— Ça mène où?
— À la vie.
— Merci!
— Ça va pour cette fois...
  Mais la prochaine
  revenez-moi vraiment mort!

*L'homme s'éloigne en riant
Un enfant naît en criant.*

*   *
*

SUR LA TOMBE DE VICTOR NOIR

1

Elles s'allongent, mollissent
elles se tordent, gémissent
et quelquefois, même, jouissent!
   Elles repartent conquises
   de cette visite exquise
   sur ta tombe, Victor Noir

Par tout le Père Lachaise
l'écho de leurs soupirs d'aise
vient rapp'ler à ta mémoire
   que de ton propre vivant
   tu ne connus pas autant
   de délices, Victor Noir

Refrain: Tu n'avais, tu n'avais, tu n'avais
   tu n'avais, tu n'avais, tu n'avais
   jamais songé, Victor Noir
   qu'en ce champ de navets, de
      navets,
   de navets, de navets, de navets,
   tu connaîtrais la gloire!

2

Avais-tu jamais pensé
que des vierges offensées
se retrouveraient un soir
   à cheval sur cette bosse
   gonflant la culott' du gosse
   que tu étais, Victor Noir

Ton âme est-ell' si chagrine
de la balle à la poitrine
qui mit fin à ton histoire
    Car ell' te valut veinard
    que des bell's par milliards
    dansent sur toi, Victor Noir

(Au refrain)

3

D'autant plus veinard es-tu
sur ta couchette étendu
que jamais tu ne déçus
    de ta bosse intemporelle
    la moindre de tes fidèles,
    de tes femmes, Victor Noir

L'on dit même qu'une nuit
l'on vit en catimini
une ombre pleine d'espoir:
    certaine dame à la faux
    venue se frotter les os
    sur ta tombe, Victor Noir

(Au refrain)

4

Elles s'allongent, mollissent
elles se tordent, gémissent
et quelquefois, même, jouissent!
    Elles repartent conquises
    de cette visite exquise
    sur ta tombe, Victor Noir

*   *

*

Modestes navrances

OMBRES

Mademoiselle Ève...
Madame Adam

Mademoiselle Claudel...
Madame Rodin

Mademoiselle Colette...
Madame Willy

Etc., etc., etc.

Il y a toujours une ombre
dans la vie des grandes femmes.

*   *
*

LA NAVRANTE DESTINÉE
DE LA PLACE SALE

(Nanodrame en quatre actes)

Acte premier

Tous les jours, Monsieur Nette balaie la
Place Sale.

Acte second

Mais vient un jour où décède Monsieur
Nette.

Acte troisième

On rebaptise en son honneur la Place Sale.

Acte quatrième

Hélas depuis ce jour, la Place Nette est sale.

Rideau

*   *
*

LES DOUCES IVRESSES DE LA VITESSE

PAN DANS L'ŒIL

Après avoir doublé tout le monde
bravé la camarde à chaque virage
être allé plus vite que les plus vites
et monté tout en haut du podium
en sablant bêtement le champagne
le grand pilote a trouvé la mort

Amateurs de cylindres,
attention aux bouchons!

*

VITE!

Ils veulent tous aller plus vite
et ils y arrivent de mieux en mieux
Ils arrivent tous de plus en plus vite
et parfois si vite que jusqu'aux cieux
entraînant à leur suite des plus lents qu'eux
des qui respiraient par des trous de nez spa-
    cieux
des qui ne demandaient qu'à vivre encore
    un peu
à leur lenteur de croisière d'escargot heureux
Ils veulent tous aller plus vite
et ils y arrivent de mieux en mieux
Ils arrivent tous de plus en plus vite
à disputer les vers à leurs aïeux.

*

SUGGESTION

Il devrait y avoir
au verso de chaque permis de conduire
un interdit de se conduire comme un con.

*

TOUS LES JOURS SUR TERRE ET NULLE PART AILLEURS DANS L'UNIVERS

Un piéton qui d'un pas d'un seul franchit
    cent pieds
Un chauffard qui poursuit son petit bonhom-
    me de charnier
Toute une vie perdue pour une seconde
    gagnée
Progrès très avancés pour temps très reculés.

*

MARTYRS DE LA FORMULE 1

L'homme aime bien se surpasser
l'homme aime bien dépasser
Pas grave s'il en vient pour cela à trépasser
puisque l'homme aime, aussi, bien compasser.

*

O R P H E L I N
DES TEMPS MODERNES

À la télé un enfant voit
des enfants appelant «papa»
un monsieur qui est son père
et qu'il ne connaît guère.

*   *
*

COMPTINE DE L'ÉCHO

J'ai connu un écho
qui répétait les mots
les plus jolis du monde
les plus jolis du monde

Je l'ai revu après
il était perroquet
dans une cage ronde
dans une cage ronde.

* *
*

CHANSON DU FEU

Il a fait une chanson
cherché la mélodie
mais ne l'a pas trouvée
Il a pris la chanson
a fredonné tant pis
et l'a jetée au feu
Jusque-là assoupi
le feu s'est réveillé
le feu s'est étiré
le feu s'est éclaté
et le feu a dansé
et le feu a chanté

La mélodie rêvée
était enfin trouvée
les paroles si jolies
à tout jamais perdues.

*   *
*

À CHACUN SA BRANCHE

Papier à musique
Papier de soie
Papier journal
Papier peint
Papier cul
Mais en cette forêt
Il y a des arbres
N'adressant déjà plus
La parole aux autres arbres
On les appelle
Papier-monnaie.

* *
*

LES DÎNERS DU ROI SOLEIL

*(à déclamer sur un délicat fond sonore
de volée de pieds au cul)*

LE CHŒUR DES VALETS DE PIED

Bon appétit
bonne digestion
et bons vents!

*   *
*

MERVEILLES DE LA CRÉATION

Le ver à soie
la vache à lait
l'abeille à miel
et la mouche
à marde.

*   *
*

PRIAPE ET FLAGADA

(MÊME COMBAT!)

Un homme qui n'a jamais pu
bander devient fou et tue
On le juge et on le pend
et le membre éteint se tend!

Même heure et même jour
un gars raide depuis toujours
lui, se pend par désespoir
et le membre, enfin, de choir!

MORALITÉ

L'un bande trop qui se pend
l'autre pas que l'on pend
L'un mou et l'autre raide
Deux mots: même remède!

*　　*

*

À LA LETTRE

«Ce qu'il te faut mon ami
c'est une femme dans ta vie
un joli petit morceau
une fille que t'aies dans la peau...»

Il suit le conseil à la lettre
rencontre une femme et la mange

MORALITÉ:

Le pied de la lettre
produit des faits étranges.

*　*
*

UNE VÉRITÉ

Une vérité sort
de la bouche d'un enfant
entre dans l'oreille d'une grande personne
et en ressort aussitôt
indignée.

* *
*

Splendeurs et misères
des écrivants

QUE LA PEAU ET LES MOTS

(LES IMMORTELS)

La scène se déroule à l'Épidémie française, dernier bastion d'un germe tenace que parla couramment Molière, qui le tenait lui-même de Malherbe, dont l'on sait qu'il vint, un jour, et l'introduisit à la cour du Roi, à son retour de Chine.

La salle de l'Épidémie est énorme et somptueusement décorée. Du Truc, Du Chose et D'Untel, les trois Immortels, sont assis à l'extrémité d'une monumentale table d'une vingtaine de mètres de longueur, autour de laquelle tous les fauteuils sont vides, les leurs n'étant d'ailleurs qu'à moitié pleins du peu qui reste de l'ombre d'eux-mêmes.

D'UNTEL
Eh bien, eh bien, cher secrétaire perpétuel, où en étions-nous de notre petit Dictionnaire?

LE SECRÉTAIRE PERPÉTUEL
(silence comparable à celui régnant dans les caveaux mortuaires des grandes familles)

DU CHOSE
Voyons, mon cher D'Untel... Vous savez bien que notre secrétaire perpétuel est... Enfin, Du Truc, dites-le-lui, vous!

DU TRUC
(geste)
La patate...

DU CHOSE
(précisant aimablement)
Du Truc veut dire: le cœur.

D'UNTEL
(comprenant à demi-mot)
Ah bon, ah bon... Vous m'en voyez navré...
A-t-on pensé à lui faire sa petite minute?

Les deux autres chères vieilles peaux opinent du pain de sucre.

Très bien, très bien... Lui a-t-on désigné un
successeur?

DU CHOSE
Vous voulez plaisanter, D'Untel!

DU TRUC
Ho, ho, ho, ce D'Untel! Il nous fera tous mourir de rire!

DU CHOSE
Mais c'est vous, mon ami, le nouveau secrétaire perpétuel!

D'UNTEL
Non? Tiens, tiens... Comme c'est curieux, je
ne m'en souvenais plus... Mais puisque vous
le dites...

DU CHOSE
Ne soyez pas confus, c'est chose normale..
Nos réunions sont si... si...

DU TRUC
Occasionnelles...

DU CHOSE
(surenchérissant)
Exceptionnelles...

DU TRUC
(le relançant)
Accidentelles...

DU CHOSE
(surensurenchérissant)
Mortelles...

DU TRUC
(à court de rime)
Euh... Euh... Bordel!

D'UNTEL
(gloussant)
Très spirituel... Bon, un peu de tenue, messieurs. Procédons à l'appel.

DU CHOSE
(toussotant)
Teuheu, teuheu! Dites-lui, Du Truc...

DU TRUC
Est-ce bien nécessaire, monsieur le secrétaire perpétuel? Nous ne sommes plus que trois!

D'UNTEL
C'est dire qu'il en manque... un certain nombre.

DU CHOSE
C'est cela même. Un nombre certain.

D'UNTEL
Combien, au juste?

DU TRUC
(toute petite voix)
Trente-sept.

D'UNTEL
C'est bien ce que je disais. Et ces trente-sept
fieffés chenapans, où sont-ils?

DU TRUC
(geste)
La patate...

D'UNTEL
Et pourtant... Pourtant... Ne sommes-nous
pas les Immortels?

DU CHOSE
Certes, mais l'immortalité ne fait rien à l'affaire...

DU TRUC
(geste)
On a beau faire, mais la patate, c'est la patate...

D'UNTEL
Recueillons-nous trente-sept minutes à la
mémoire de nos confrères.

DU TRUC
Je nous mets le réveil?

D'UNTEL
(opinant du pain de sucre)
Faites, faites...

Trente-sept minutes plus tard, le réveil sonne et les Immortels s'éveillent, à l'exception de Du Chose.

D'UNTEL
Du Chose! Eh bien, eh bien... Du Chose?

DU TRUC
(l'examinant sommairement, avant d'esquisser un geste de dépit)
La patate...

Nouvelle et conséquente minute de recueillement, à laquelle survivent les deux Immortels subsistants.

DU TRUC
Bon, ben, c'est pas tout ça. C'est bientôt l'heure du déjeuner. Faudrait tout de même s'y mettre...

D'UNTEL
(interrogatissime)
???

DU TRUC
Le Dictionnaire, mon cher secrétaire perpétuel. Le Dictionnaire!

D'UNTEL
Bien sûr, bien sûr... Le Dictionnaire. Où en étions-nous?

DU TRUC

Permettez que je me rafraîchisse la mémoire.
C'est que ça ne date pas d'hier... *(Il consulte
un bottin craquant, compulse des grimoires
croquants.)* Que de poussière... *(Éternue-
ments à répétition)* Papata, papati, patatras,
pétéchie, picotin, potiron, pugilat, pyjama,
pyxide... *(Il passe subitement du vert-de-gris
au blanc morgue.)* Oh! Quelle infamie! Êtes-
vous bien assis, Monsieur le secrétaire perpétuel?

D'UNTEL

Soyons sérieux, Du Truc. Vous m'avez déjà vu
debout?

DU TRUC

Pardonnez-moi, D'Untel... L'émotion m'égare!

D'UNTEL

Je vous écoute...

DU TRUC

Nous en sommes à la lettre...

D'UNTEL
(impatient)

À la lettre?

DU TRUC

Q!

D'UNTEL
(portant une main à son cœur)

Ah!

Il meurt dans la seconde, foudroyé.

DU TRUC
(palpant sommairement D'Untel)
Hé! La patate, toujours la patate! C'est plus
une épidémie, c'est une hémorragie!

*Avisant l'heure sur le réveil, il se lève et
enfile sa redingote.*

Bon! Faut que je file chez le médecin, moi...
Parce qu'on a beau faire et beau dire... La
prostate *(geste)*, c'est la prostate!

* *
*

CONFIDENTIEL

Cher illustre inconnu,

Nous avons reçu et disséqué avec circonspection votre demande d'intronisation en vue de la prochaine édition de notre *Encyclopédie des Illustres Inconnus*. Hélas! Hélas! Chère vieille Connaissance... Cher Système de Pensée... Chère grande Sommité de toutes les Matières... Vous dont l'Éminence est au gris ce que l'Idée est au noir... Hélas! hélas! **vous n'êtes pas posthume** (ce qui, sachez-le, nous peine profondément).

Si à tout le moins vous aviez joint à votre envoi un extrait de dernière extrémité, un échantillon d'onction, une perte entière ou même partielle de facultés, un vague espoir de cancer sans rémission, un prix de personne alitée, que sais-je encore? Au contraire! Votre dossier médical est formel: pas la moindre affection virale ou mortelle! Pas la moindre dégénérescence! Pas la plus petite insuffisance! Puisqu'il faut bien le dire, eh bien, disons-le tout net: vous n'êtes pas bon pour l'impotence — et ne pouvez par le fait même satisfaire à nos conditions d'admission.

Vous comprendrez aisément notre consternation devant une si robuste constitution, l'incommensurabilité de notre déception, l'incurabilité de votre situation et l'impossibilité de faire suite à votre légitime démarche. Auriez-vous l'extrême obligeance de nous recontacter une fois votre décès constaté?

Veuillez accepter, cher Illustre Inconnu, l'expression de nos condoléances les plus anticipées,

Adhémar Vladivinovitch-Dupont

directeur de l'*Encyclopédie des Illustres Inconnus*

POST-SCRIPTHUME:

Joignez à votre prochain dossier les pièces suivantes:

— un certificat de décès en trois exemplaires;

— mille mètres carrés de diplômes et/ou certificats divers;

— une berne de drapeau (propre);

— votre discours d'inhumation à la Macchabémie;

— le brouillon et l'enregistrement sur bande magnétique de vos dernières paroles;

— l'équivalent d'une journée de silence, soit mille quatre cent quarante minutes de silence prononcées en autant de sites homologués, et ce, dans le plus rigoureux recueillement;

— des larmes recueillies auprès de témoins globulaires assermentés, mises en bouteilles et scellées en présence d'un Mystificateur Officiel;

— le fac-similé d'au moins une expression de condoléances reçue dans un intervalle de vingt-quatre heures suivant le jour du décès, le cachet de la morgue faisant foi;

— l'état actuel des recherches archivistiques en vue de la reconstitution totale de vos œuvres complètes (à faire subséquemment disparaître);

— la reconnaissance officielle de votre anonymat par votre Société des Illustres Inconnus locale;

— ainsi, naturellement, qu'un nouveau formulaire d'intronisation dûment complété...

* *
*

CACAHUÈTES

Aujourd'hui dimanche au Jardin des Bêtes
un quatuor d'écrivains-vedettes
interprète sur le kiosque des Belles-lettres
le célèbre Exorcisme de Style à Quatre Têtes

Pendant que le gardien ne me regarde pas
à la vitesse de la poudre d'escampette
je leur lance des cacahuètes.

*   *
*

LA GRÈVE DES MOTS

Un jour
amour et *toujours*
en ayant marre de rimer
mirent la clé sous la porte

Sur le coup personne ne s'aperçut de rien
Les gens de plume continuèrent à les écrire
les gens normaux à les lire
les chanteurs à les chanter
et le public à les écouter
Mais bientôt le chat sortit du sac
partout à la fois et d'abord au spectacle
Bégaiements trous de mémoires chevrote-
    ments
laryngites quintes de toux hoquets rages de
    dents
morsures inopinées de la langue et crises
    d'éternuements:
il apparut que la voix humaine était très
    soudainement
tout bonnement devenue inapte à pronon-
    cer les mots
amour et *toujours*
Au théâtre les souffleurs n'étaient plus d'au-
    cun secours aux acteurs et les acteurs,
    interdits, le soufflet inexplicablement
    coupé, s'étranglaient mutuellement pour
    sauver les apparences ainsi que la recette
Même phénomène dans ces cages dorées
    de la Bêtise mieux connues sous le nom
    générique de radios
À l'approche de l'un ou l'autre mot
les microsillons se mettaient à sauter

les bandes magnétiques à péter
et les annonceurs à ânonner

Ailleurs mais pas très loin d'ici et là
des amoureux
qui s'apprêtaient à déclarer
(ou plus modestement confirmer)
leur passion à l'être aimé
en restaient bouche bée
avant de courir se pendre à la première
    suspension venue
(ou plus modestement se perdre dans la
    nuit)

Le lendemain la presse tenta bien de rap-
    porter la mystérieuse disparition
Hélas!
Des blancs cruels jusque-là sournoisement
    tapis entre les lignes s'étaient glissés
    dedans
Aux endroits correspondant aux deux mots
    cruellement manquants le Néant l'y dis-
    putait au Vide
On se rua sur les dictionnaires en pure
    perte:
amour et *toujours* n'y figuraient plus!
Et petit à petit on s'aperçut avec un effroi
    sans cesse croissant que les deux mots
    s'étaient également et sans raison appa-
    rente barrés de tous les livres gazettes
    illustrés et papelards imprimés à ce jour

L'Enquête fut confiée à la Police
On comprendra aisément qu'avant de
    n'aboutir à moins que rien
elle piétina un sacré bon bout de temps

Entre-temps
entre-temps eh bien il fallait vivre
et les plus pauvres d'entre les amoureux ne
    vivaient plus que d'eau fraîche et s'aigris-
    saient à vue d'œil
Le Moral de la Patrie se mit à battre de
    l'aile
Le Commun des Mortels
incapable de fredonner en travaillant ses
    refrains préférés dans leur intégralité
sombra dans l'absentéisme et la morosité
tandis que le Produit National Brut piquait
    du nez
avec la célérité et la constance de l'enclume
    en chute libre

Il faut faire quelque chose
se dit le Président
Ouais c'est bon ça
il faut faire quelque chose
se redit le Président
pas mécontent de sa petite formule
Mais que diable quoi Dieu seul le sait
Et Dieu se sentant concerné envoya un
    ange trouver le Président
Tu devrais convoquer l'Académie
dit l'ange
ça pourrait être marrant

Alors le Président convoqua l'Académie et
    la chargea par décret très exceptionnel
    de se secouer les puces et de mettre au
    point
et ce dans les plus brefs délais
et dans le secret des dieux
et dans le forcené silence de la carpe

la création de deux mots substituts à *amour*
et *toujours*
et les Immortels
ainsi nommés en raison de leur propension
à être depuis longtemps morts de leur
vivant
et les Immortels se
(ouvrez les guillemets)
mirent au travail
(fermez les guillemets)
s'attirant en cela la curiosité frénétique des
médias hystériques

Bien des mois plus tard
les deux nouveaux mots vieux comme le
monde furent soigneusement inscrits sur
un parchemin
le parchemin roulé
le rouleau convoyé jusqu'à l'Élysée
la bobinette tirée
la chevillette chue
le majordome sonné
l'alerte donnée
le soleil levé
le Président réveillé
la presse contactée
et le rouleau déroulé
et les deux mots substituts solennellement
révélés
provoquant aux huit coins du pays une formidable flambée de rire
Atteint de plein fouet dans la région de
l'amour-propre
le Ridicule d'État ne s'en releva pas

N'empêche qu'entre-temps
entre-temps on restait toujours sans nouvelle d'*amour* et *toujours*

De temps à autre une rumeur s'exhalait de
l'haleine fétide de quelque influente
Mauvaise Langue
Untel affirmait les avoir entendus de la
bouche même d'un témoin digne de foi
qui s'avérait renseignements pris un facétieux comparse
Un autre allait jusqu'à dire le plus périlleu-
sement du monde qu'il les avait vus
comme vous me lisez et le pauvre repar-
tait chez lui sept fois tourné en dérision
coiffé de l'entonnoir de l'insanité
D'autres encore prétendirent avoir ravi les
précieux mots et exigèrent une rançon
colossale à un pouvoir policier prêt à tout
En lieu et place des mots tant espérés et si
chèrement payés la force constabulaire
n'en retrouva qu'un seul
qui ne répondait en aucune façon au signa-
lement d'*amour*
si ce n'est par le nombre de ses lettres...

N'empêche qu'entre-temps
entre-temps il fallait bien que le show
must-go-on-ât
et pour que le show must-go-on-ât les
paroliers durent se rabattre sur d'autres
mots
engendrant par le fait même la colère toute
légitime de ceux qui n'avaient jusque-là
rimé qu'occasionnellement
confinés depuis toujours dans des rôles de
faire-valoir qui du reste ne leur déplai-
saient pas
tant et si bien que très vite excédés par un
emploi immodéré

sot-l'y-laisse et *tendresse superfétatoire* et
histoire Sodome et *Guillaume Gomorrhe*
et *Nestor porte* et *aorte cédille* et *godille*
beau temps et *ventripotent mandibule* et
somnambule piquepoquette et *lance-*
roquette figure de style et *pigeon d'argile*
abscisse et *saucisse fromage de chèvre* et
rouge à lèvres pauvre type et *casse-pipe*
dromadaire et *documentaire Abel* et
Gretel stram et *gram pic* et *pic bourre* et
bourre ratatam et *colégram*
foutirent tout aussi mystérieusement que
leurs collègues *amour* et *toujours* le camp
sans laisser d'adresse

L'Opinion publique s'émut
pas pour très longtemps
N'ayant bientôt plus un mot sous la langue
pour exprimer son opinion
le public n'eut d'autre choix que de communiquer par gestes
Nous voilà bien châtiés
pensèrent les charretiers

Et l'eau continua à couler sous les ponts la
lumière sur la terre et le temps sur les
choses et le sang dans les êtres
La langue avait recouvré pour un certain
temps son rôle de
belle nageuse détournée de sa fonction
première
comme l'a si bien décrite un poète du nom
de Huidobro
Et tous en étaient venus à oublier la Parole
jusqu'à ce qu'un homme vienne la lui
demander
très simplement

en lui tirant la langue par la queue
Et c'était pourtant si poliment demandé
que la Parole se laissa prendre par cet
    homme
un homme visiblement embêté d'attirer tant
    d'attention sur sa modeste quoique corpu-
    lente personne

Il dit d'abord
Hum!
Puis il répéta
HUM!!!
pour s'éclaircir tout à fait la voix
avant que de se retrousser les manches de
    se lisser la moustache et de se mettre en
    frais de remettre à leur place tous ces mots
    oubliés à commencer par *vie* en finissant
    par *mort* en passant par *amour*
(et s'y attardant tout en s'y étendant un cer-
    tain temps)

Ce n'est que beaucoup plus tard
avec l'accord des participes concernés
que l'homme
un grand timidaciturne
accepta de raconter sa petite histoire...

J'étais chez moi
Je ne faisais rien ou plutôt si: j'étais à être
    chez moi
quand ça s'est mis à gratter à ma porte
Je me suis dit
Tiens, un nouveau chat
C'est toujours ce que je pense dans ces cas-
    là
Et j'ai laissé mon très harassant non-labeur
    en suspens pour aller ouvrir

C'était
en effet en effet
un chat
Ou plutôt: le mot chat
le mot chat avec toute une ménagerie de
   tonnerre de brest de mots de tout poil où
   le trivial l'y côtoyait le recherché et le
   mono le décasyllabique
Tous ces mots étaient perdus
couverts d'étoiles et de frimas
C'était la nuit et il faisait temps à ne pas
   laisser un alexandrin dehors
Alors ils sont tous entrés chez moi pour y
   passer la nuit
et le lendemain ils sont partis...
partis pour aller chercher leurs copains et
   les ramener chez moi
Entendons-nous bien: ce n'est pas qu'ils ne
   voulaient pas repartir
ils n'y pensaient même plus un point c'est
   tout
Tout bonnement ils étaient bien chez moi
Ils réapprenaient à se parler à s'entendre à
   s'accoler à se composer à se trait-d'unir à
   grossir à jurer s'entrecroiser se passer se
   citer s'être et ne pas s'être à rivaliser
   d'astuce à se singulièrement combattre et
   se mutuellement défier
D'acrostiche en tautogramme de logogriphe
   en calligramme de palindrome en anagramme de calembour en contrepèterie
   ils en vinrent bientôt à faire de l'esprit
   et...
des rimes!
(comme dans le bon vieux temps! ainsi que
   s'accordèrent à le dire eux-mêmes
   comme, dans, le, bon, vieux et temps)

Et puis tout doucement ce bon vieux temps
  s'est refait une beauté
rajeunissant jusqu'à redevenir le temps
  présent
Bientôt les mots se sont même mis à parler
  du futur
au conditionnel d'abord
puis très vite à l'impératif
C'est ce jour-là qu'amour et toujours
beaux comme de jeunes non mariés
se sont avancés vers moi et m'ont demandé
une chanson

Et Georges
Georges Brassens
sa bonne grosse main sur son cœur grand
  comme ça
n'a pas su dire non.

*   *
    *

LE POÈTE MASQUÉ

Ces derniers jours, sur les murs et les palissades de la ville, de curieuses affiches ont fait leur apparition: des affiches devant lesquelles les gens peuvent demeurer des éternités sans bouger, comme prostrés de beauté.

De quoi s'agit-il? Que peuvent bien raconter ces étranges affiches pour ainsi frapper l'imagination des journaliers sur le chemin du pain quotidien?

Trois fois rien: des poésies.

Des poésies écrites, imprimées et collées là par une main anonyme.

La chose n'aurait pas tiré à conséquence si la grâce, la fraîcheur et la beauté de ces vers n'avaient entraîné, aux quatre coins de la Cité, une multitude de retards. Marchandes, manœuvres, serveuses, ouvriers: tous les gens sachant plus ou moins lire étaient touchés par le phénomène.

Au terme d'une quinzaine, la situation ne s'étant guère améliorée, les patrons, excédés, se réunirent en une session extraordinaire afin d'échanger leurs vues sur l'épineux problème. Des propositions furent énoncées, des énormités proférées, force cigares grillés et moult cafés brésiliens sirotés, des motions votées et des recommandations portées à la connaissance de la Sûreté.

Le mystérieux poète devait être épinglé au plus tôt et mis hors d'état de nuire — ou tout au moins d'écrire.

Le Produit national brut en dépendait!

La nuit même, se postèrent en divers points stratégiques de la Cité, avec ordre d'attendre la fermeture des bars et des cafés pour agir, plusieurs centaines d'agents camouflés en poubelles — manège auquel la plupart excellèrent, avantagés par une remarquable formation d'ordure.

L'opération PVP («Poètes, vos papiers!») se solda par l'arrestation d'un bon millier de poètes et la confiscation de dizaines de milliers d'écrits, de tracts politiques hostiles au nez du président et de dessins obscènes favorables à la libéralisation des morses. En revanche, pas le plus petit pot de colle et pas l'ombre de la queue du manche d'un pinceau. Et, ainsi que la Sûreté dut rapidement l'admettre, pas un poème n'approchant la grâce, la fraîcheur et la beauté de ceux du poète inconnu. (À savoir de quelle manière des policiers en arrivèrent par eux-mêmes à cette conclusion: mystère! Mystère plus épais encore que le cas du Poète inconnu, s'accordent à dire les historiens de la critique criminologique.)

Le lendemain, les murs et les palissades de la ville regorgeaient à nouveau de poésies, des poésies plus gracieuses, plus fraîches, plus belles encore que celles de la veille.

Et, depuis lors, à l'image de ces poésies, la vie suit son cours: plus gracieuse, plus fraîche et plus belle que jamais auparavant.

* *
*

LETTRES DE LITTÉRAPOLIS

3 fiévrillet 19...

Très cher frère,

Je suis finalement arrivé la nuit dernière, épuisé mais heureux. Littérapolis est bien la ville fabuleuse dont tu m'avais décliné les splendeurs. Malgré toutes les perversions palpitant sous ses façades austères, ma première impression en est une d'infini ravissement. Après m'être déniché une chambrette au Gulliver Inn et y avoir abandonné mon barda, je me suis précipité au cœur de la cité, dans l'Antre de la Muse, là où pullulent les innombrables salons littéraires qui font la gloire de Littérapolis.

À travers les vitrines de ces temples, attablés à leur maître-autel, officient les grands prêtres de l'Écriture, énormes, hirsutes, ignobles, hilares, géniaux. Sous les tables couvertes de manuscrits, d'encriers, de plumes, de grammaires, de grimoires, de chopes vides et de cendriers pleins, tout aux pieds de leurs dieux vivants, des disciples s'entredéchirent éperdument, avides de recueillir les miettes du festin, les rognures du Verbe.

Spectacle consternant de déchéance et de veulerie contre lequel m'avaient mis en garde mes lectures, mais qui ne m'en a pas moins hissé le cœur aux lèvres... Un jeune écrivain doit-il vraiment commencer par là?

Le «bas de l'échelle» passe-t-il nécessairement sous les tables de ceux qui font la loi de cette jungle? À l'idée d'accomplir mon apprentissage dans l'un de ces salons et de m'écarteler aux quatre vents des volontés d'un maître despote et odieux, une cataracte de sueurs fraîches m'en déferle entre les omoplates.

Si au moins j'avais de l'esprit à revendre, comme toi... Si au moins j'avais la mémoire des bons mots des autres... Enfin! Peut-être le génie me viendra-t-il avec l'audace, qui sait? Peut-être l'un de mes mots m'attirera-t-il les bonnes grâces d'un Maître? Mais à quoi bon supputer, présumer, délirer! Encore faudrait-il que mes finances me permettent l'achat de l'indispensable livrée de Paon, sans laquelle défense formelle est faite à quiconque de s'adonner à la roue en ces lieux.

J'ai gardé précieusement, dans la doublure de mon paletot, la carte de ton ami Delarminette, le poncturier de la rue Vialatte. Chaque soir, à la fin de mes compostellations quotidiennes, à l'insu de mes compagnons de route, j'extirpais le bristol de sa cachette et contemplais ce sésame, rêveur, en fabulant gentiment sur le compte de l'avenir.

Je dois te laisser: il est potron-minet. J'ai devant moi deux heures de sommeil avant de me présenter chez Delarminette. À moins que je ne les consacre à disputer mon matelas aux punaises... De toute manière, quand même j'aurais voulu fermer l'œil, j'étais trop excité. Sans compter que mon voisin de palier, un Slave aussi corpulent que sourdingue, travaille sur une vieille Underwood dont chaque retour de chariot évoque le fin bruissement d'une enclume contre un gong tibétain. Qu'importe. Je suis désormais à Littérapolis: j'y peste, mais j'y reste.

Ne t'étonne pas si le facteur tarde à repasser par chez toi; je ne te récrirai pas avant de m'être trouvé une situation, quelle qu'elle soit: apprenti-virgulier, parenthésiste ou sous-nègre.

Bien à toi,

ton petit frère Nathan

*

7 miasme 19...

Très cher frère,

Ce qui devait arriver est arrivé: Delarminette m'a fichu à la porte de l'atelier. Ce n'est pas tant contre mon travail qu'il en avait: j'étais son meilleur paysagiste. Cimes éternelles, forêts vierges, mornes plaines, torrents impétueux, pelouse proprette de banlieue modèle: rien ne me résistait. Les Grands Auteurs ne tarissaient pas d'éloges à mon égard; il y en a même un qui m'a donné du sucre, comme à une brave bête de somme.

Torcher à la petite semaine le Grand Œuvre de potentiels Nobels ne pouvait que me donner le goût, la nuit venue, de plancher sur mes propres œuvrettes. Avec ce piètre résultat que si, par bonheur (et par reptation), je parvenais à me présenter à l'ouvrage, je m'endormais tôt ou tard le nez sur le métier. À regret, Delarminette m'a désigné la porte — non sans m'offrir un fort joli nécessaire à métaphores en guise de prime de départ.

J'aurais pu valeureusement retrousser mes manches et me porter dare-dare à l'assaut d'un nouvel emploi; les négriers ne manquent pas, non plus que les galères. Toutefois ma nature buissonnière a eu raison de mes ambitions et j'ai préféré aller me balader du côté de Littérallye, le Quartier du Jeu, dont tu m'as si souvent décrié les mirages. N'ayant plus qu'un doublezon vaillant en poche, qu'avais-je tant à redouter? On fait crédit aux fourmis, pas aux cigales...

Depuis ton passage, le jeu a connu un essor extraordinaire et la déferlante lumineuse des casinos nimbe dorénavant la cité d'une auréole indigo. De part et d'autre du boulevard Guitry — en hommage à ses *Mémoires d'un tricheur*, sans doute —, se pressent d'orgueilleux palais élevés à la seule gloire du hasard, manières de palais du Facteur Cheval aux dimensions décuplées par la cupidité. Dans ces ruches zézaye la clientèle-cible, les orpailleurs de l'écriture, nègres, scripts et tâcherons tous azimuts, qui viennent ici chercher fortune en espérant subséquemment se payer les nègres qui leur garantiront l'immortalité.

Bien que mes modestes habits attirent sur moi l'attention des portiers, j'ai pu pénétrer dans la plupart des casinos et me familiariser avec les rudiments de certains jeux. Ici l'on joue à la bonne vieille charade à tiroirs, dont chacun des éléments est débité par un croupier impassible, tandis que la masse des joueurs, au coude à coude autour de la table, le visage crispé par une intense réflexion, se concentre avec l'énergie du désespoir. Là l'on tâte du pangramme, l'épreuve-reine des flambeurs, isolés dans des cubicules en tête à tête avec les vingt-six lettres de l'alphabet. Malheur à l'aspirant qui oserait proposer une phrase déjà engrangée dans la mémoire de l'Ordinateur central: il se verrait vidé du casino avec tous les égards dus à son rang de magouilleur.

Au Lipogramm'Hall, le décor rappelle la salle de rédaction d'un grand quotidien d'antan: à perte de vue, des enfilades de bureaux chargés d'écrans devant lesquels les joueurs créent, sur un thème et dans un laps de temps donnés, le plus long texte possible sans employer une ou plusieurs lettres déterminées au préalable par le croupier-chef. Inutile de te dire qu'un certain Perec aurait fait ici rapidement fortune... Tu t'imagines bien que nombre de gros malins, ne reculant devant aucune bassesse, n'hésitent pas à plagier l'un ou l'autre passage de *La disparition*. Heureusement, les croupiers du Lipogramm'Hall connaissent la chanson et démasquent aisément les fraudeurs − éjectés avec non moins d'égards du saint lieu que leurs confrères des casinos voisins.

La variété des divertissements offerts à la discrétion du chaland défie l'entendement: acrostiche, anagramme, calligramme, caviardage, centon, contrepèterie, lipogramme, liponymie, logogriphe, palindrome, parodie, pastiche, rébus, tautogramme, traduction homophone... Jeux de lettres pour fins lettrés, dans lesquels s'investissent et s'épanouissent de boulimiques lecteurs — par ailleurs souvent nuls au niveau de l'écriture.

Des fenêtres de la Tour de Babel jaillissent des acclamations subjuguées: à partir d'un texte dont les noms de personnages et de lieux avaient été modifiés, un crack a identifié une obscure nouvelle de Maupassant et remporté la cagnotte de la soirée. À l'Ali-Baba-Brairie, les croupiers soumettent aux joueurs la «page arrachée» d'une œuvre; enchère et tension sont à leur point culminant. Le premier à découvrir le titre de l'œuvre empoche le gros lot; si tous faillissent, une seconde page est alors proposée et l'enchère réduite de moitié — et ainsi de suite jusqu'à l'*euréka* d'un participant. L'exercice n'a rien d'une sinécure, car les auteurs et les titres sélectionnés appartiennent souvent à des époques et des cultures méconnues du commun des librophages...

Ne t'inquiète donc pas pour ton petit frère que tu crois déjà vautré dans la fange du jeu: j'ai joué mon unique pièce dans une Machine-à-Vers. Tu n'as probablement pas eu l'occasion de les essayer puisqu'elles sont apparues depuis peu sur le marché; aussi laisse-moi parfaire ton éducation. Sur l'écran de l'engin, que rien ne distingue sensiblement d'un bandit manchot typique, s'affiche un vers d'un poème choisi dans la masse des millions de poèmes écrits depuis Sumer. Le jeu consiste à taper sur un clavier le vers précédant ou suivant immédiatement celui qu'a suggéré le cerveau de la Machine-à-Vers. Simple comme bonjour? Pas si sûr, car il faut tenir compte de trois facteurs:

petit a) le «bagage» poétique du participant;

petit b) le niveau de vacherie du vers soumis par la machine;

petit c) les dispositions dans lesquels le premier affronte la seconde.

Pour ma part, j'ai eu une veine dite de cocu à mon unique (et ultime) tentative puisque la Machine-à-Vers a sélectionné... le premier vers de *La cigale et la fourmi*. Un jeu d'enfant, n'est-ce pas? Hélas, pris de court par la facilité de l'épreuve, surexcité par la perspective d'un gain aisément amassé (et virtuellement dépensé), j'ai perdu et les pédales et la mémoire. Lorsque le damné vers m'est enfin revenu, le délai alloué par la machine était échu. Et je te prie de croire que pas un des vautours présents ne m'a soufflé le plus petit phonème. L'une des lois élémentaires de la jungle locale, j'imagine...

Je suis revenu, passablement déconfit, à ma chambrette du Gulliver Inn par le dédale des Écrivassiers. Une fois dans ma mansarde, je me suis attelé à la poursuite de mon roman pour découvrir l'horreur dans sa plus pure quintessence: mon personnage principal avait disparu. Quelqu'un — voisin de palier? ex-collègue de chez Delarminette? — a mis à profit mon absence pour s'introduire dans mon logis, feuilleter mon livre et faire main basse sur mon héros. Qu'eût fait Homère sans Ulysse? Jarry sans Ubu? Leblanc sans Lupin? Malraux sans Malraux? Me voilà beau, gros Jean par derrière comme par devant, sans boulot, sans héros et sans un rond. Bienvenue à Littérapolis, jeune homme!

Il me reste l'encre de ce stylo pour t'écrire un mot et le réconfort de te savoir mener une destinée moins navrante que la mienne,

ton petit, petit, petit frère Nathan

*

17 monandre 19...

Très cher frère,

Comme tu es reparti vite! Comme tu as crié haut! Comme tu m'as frappé fort! Comme tu as peu changé, suis-je tenté d'écrire. Aussi vif, sanguin et bêtement idéaliste qu'à tes quinze ans...

Moi qui m'étais fait toutes ces semaines une fête de te revoir, de te presser contre mon cœur, de te narrer par le menu les rocambolesques épisodes de ma vie des derniers mois, de ma récente prospérité... Et toi qui, à la seule vue de ma voiture (tape-à-l'œil, sans plus), de mon chauffeur (un crétin) et de ma vêture (de gangster, as-tu prétendu), te figures que je suis tombé pis que plus bas, dans les abysses du crime, la fange du vice, la lie de la déviance!

J'essaye de t'expliquer et toi tu t'emballes, couines, gesticules, me voues aux gémonies et me passes à la bonne vieille machine à bosseler avant de tourner résolument les talons pour resauter aussi sec dans ton train. Quel magistrat tu ferais, grand frère! Avec des juges comme toi, les bourreaux n'auraient pas même de lambeaux à se mettre sous la dent...

Comprends-tu que l'année écoulée m'a vu choir d'une relative précarité à une grossière indigence, réduit à errer de par les rues, récitant pour une piécette de mauvais poèmes, me nourrissant de choux roulés au bas d'étals douteux, disputant à des compagnons d'infortune les premières loges aux bouches d'air chaud des grands sièges sociaux?

Alors, quand une nuit, à l'improviste, un homme débarque d'une limousine, marche sur moi et se met à m'examiner ainsi que le font les maquignons des chevaux, qui suis-je encore pour jouer les pouliches offensées? Mon esprit, ma diction, ma culture, tout ce qui subsiste entre mes oreilles qui me distingue d'une bête, il les sonde sèchement, sans perdre un atome de son temps. Si je ne fais pas l'affaire, cent mille autres la feront. À tous les oui que ses questions appellent, je réponds: «Parfait! Que si! Présent!» À tous les non: «Jamais! Nenni! Nullement!»

Et voilà que ce seigneur m'intime l'ordre de le suivre et me convie à partager la même banquette que lui, dans sa luxueuse berline. Moi, tas de haillons à l'allure vaguement humaine! Moi, mine de punaises à ciel ouvert! Moi, qui le soir même, dûment désinfecté, dors à poings fermés dans les draps proprets d'un lit à baldaquin, sous le toit d'un authentique château!

Évidemment, mon employeur ne m'a pas embauché pour mes beaux yeux, tu l'as bien deviné. Mais il ne m'a pas non plus ravi à ma misère pour me transformer en monstre. Je ne tue ni ne vole, ne mutile ni ne viole. Qu'attend-on de moi, en somme? Si peu de choses... Qui me rapportent mille fois plus qu'elles ne me coûtent. Quelles choses? Me coucher tôt, me lever tard, déjeuner grassement, traînasser toute la journée de pièce en pièce, assister à des soirées, fumer de fins cigares, boire du champagne, repousser les assauts de ravissantes jeunes femmes et... remonter dans mes appartements me coucher tôt. Non sans avoir, d'un bout à l'autre de la journée, soupiré à fendre le cœur de sept générations de Deibler.

Je te charrie, penses-tu? Ne t'en fais pas: j'ai moi-même toutes les peines du monde à croire en ma bonne étoile. Tu as déjà entendu ces curieuses légendes planant autour des méthodes de travail de l'illustre Merlin Saindoux? Sa (supposée) manie de recréer en vase clos l'action de ces romans-fleuves en embauchant à prix d'or des comédiens et en les faisant évoluer dans la peau de ses personnages? Son (prétendu) génie à se glisser au cœur de cette faune fictive et à s'y repaître de l'action ambiante? Eh bien tout cela est vrai de la poupe à la proue.

Je suis depuis deux mois Victor-Henri de Pourléché, fils aîné du comte du même nom, jeune homme fantasque et secret, parti à la guerre de 14-18 contre la volonté de son père et récemment revenu du front, vieilli de cent ans, brisé, dégoûté des hommes, des femmes, du ciel et de la terre. Je suis ce damoiseau romantique à la perpétuelle barbe de trois jours, l'œil hagard, le dos voûté, s'enfonçant solitaire dans les allées du bois, ne tolérant pour tout confident que son ombre. Que lui est-il donc arrivé là-bas? Qui le guérira de cette torpeur? Qui lui arrachera un aveu, un mot, un borborygme? (Personne au grand jamais, j'espère. Seul les soupirs m'inspirent.) Est-elle seulement née, l'âme sœur qui rendra à mon beau visage triste sa joie, sa dérision, son étourderie d'antan?

Voilà toute la vérité, frère impétueux. Voilà comment je fais de l'argent comme de l'eau sans même avoir à me fendre le génie en fines lamelles diaphanes. Et voilà comment je suis — accessoirement — capable de me louer voiture et chauffeur que pour le plaisir, couillon vertueux, de t'épater à ta descente de train. Avais-tu oublié que tout est possible à Littérapolis, du moins-que-probable à l'implausible absolu?

Le temps d'un pet de mouche, j'ai bien envie de te reprocher ce somptueux coquard... À cause de toi, j'ai dû, au château, exceptionnellement desceller mes lèvres et expliquer à ma mère une histoire de rixe parfaitement invraisemblable où mon honneur de poilu se trouvait propulsé aux premières lignes de mon amour-propre.

J'ai entendu, entre les branches, que l'auteur pensait à me suicider assez tôt dans son roman et je ne sais trop qu'en penser. Devrais-je demain matin descendre de ma chambre en chantant *Viens poupoule viens* pour marquer l'amorce d'une renaissance morale? Ce n'est pas tout à fait la ligne de conduite que me dicte le régisseur. Que faire? Laisser cet excellent Saindoux me reconduire au cimetière ou lui forcer la main en m'expédiant dans une maison de repos? Trois ou quatre mois supplémentaires de survie, même mortellement languissante, ne feraient pas de mal à mon vaillant petit cochon de faïence...

Je te quitte: je dois faire une entrée remarquée à la réception qu'offre ce soir Mère aux épouses des industriels du chef-lieu. Je t'expédie en pensée un poing particulièrement sournois dans l'épigastre, dans lequel tient tout entière mon affectueuse rancune, et t'embrasse fraternellement,

ton plaisantin de frangin, Nathan

*

Très cher frère,

S'il m'était resté un timbre-poste, je l'aurais mangé plutôt que de t'écrire. J'avais honte. Non, tu ne peux pas te rendre compte: HONTE. Imagine, posées sur la face visible de la Lune, les lettres de ce mot longues de plusieurs kilomètres et rehaussées d'énormes ampoules aux teintes criardes pour que tu ne puisses les louper: j'avais honte à ce point. Tant et si souverainement honte de moi que, aurions-nous été frères siamois, j'aurais réussi à m'amputer de toi sans te réveiller pour m'enfuir dans la nuit.

Avant toute chose, permets-moi de ne pas m'appesantir sur les circonstances de mon suicide. Trois ans ont beau s'être écoulés, je ne m'en remets qu'à peine. N'avoir plus sa place dans *la* fiction et être abruptement rejeté dans *une* réalité où vous devez refaire votre vie: bonjour les séquelles! Oui, bon, bien sûr, je ne repartais pas les mains vides; malgré une nette propension à me servir du papier-monnaie comme d'un briquet, j'avais mis quelques biffetons de côté. Mais ce que je cherchais à ce moment — la Consolation ou la Sérénité, ce genre de bagatelle — brillait par son éblouissante absence dans toutes les boutiques des Galeries Colette et cent mille milliards de doublezons n'auraient pas suffi à m'en pourvoir d'une traître gouttelette.

J'aurais pu à ce moment précis faire tant de choses... Rentrer à la maison en première classe... Louer une mine antipersonnel et jouer dessus à la marelle... Acheter un lopin de terre et le creuser jusqu'en enfer... De toutes les destinations soumises à ma discrétion, une seule s'annonçait fatale et sans issue: ce fut précisément celle qui me tenta. C'est ainsi que, suivant l'auréole indigo, je cinglai vers le Quartier du Jeu, résolu à me suicider cette fois pour de bon — sinon comment expliquer mon inconscience?

Je trouvai à me loger somptueusement à deux pas des plus beaux palaces, n'ayant qu'à traverser le boulevard Guitry pour me rendre au Lipogramm'Hall. Trois jours et trois nuits plus tard, je n'avais plus même à traverser la chaussée pour dormir: je logeais désormais à la rue. Et je refis illico connaissance avec mes maigres vaches d'antan, l'antan d'avant le temps de ma fulgurante opulence... Combien de temps aurais-je cette fois à me nourrir de la peau du dedans des joues? Combien de jours pouvait-on tenir rien qu'avec de la peau de joues? Avec le recul, je me rendais compte que jouer dans un roman de Saindoux avait relevé d'une chance indécente; pareille veine se représenterait-elle jamais à moi? Pouvait-on être foudroyé deux fois dans la même vie?

Un jour, j'errais dans la Cité Boudard, tristounet, déconfit, famélique. Passage des Cloportes, je notai la présence d'un bistrot ouvert depuis peu, à l'enseigne fraîchement mal peinte: Café Aux Lettres. En admettant que son patron fût bête, naïf ou simplement sourd, peut-être me servirait-il un chocolat chaud et une bouchée de pain contre une chanson? Je brossai les revers de mon veston, toussai, poussai la porte et m'avançai dans la salle.

Courbé sur la machine à café, le patron du Café Aux Lettres pestait d'inaudibles imprécations contre la vie en général et la technologie de l'industrie cafételière en particulier. Je toussotai poliment et proposai mon dérisoire marché sans trop d'espoir. À ma totale surprise, sans même m'honorer d'un coup d'œil, le mastroquet acquiesça d'un hochement nerveux du chef et se débattit, pour au moins trois bonnes minutes, avec cuillères, manettes et chalumeaux. Au terme de la reprise, la machine à café remporta le match par K.-O. technique, étalant l'aspirant-cafetier d'un solide jet de vapeur en pleine poire.

J'envisageais un discret repli vers la sortie lorsque le knock-outré se rétablit sur ses guibolles. Le menton avait un peu fondu mais le reste de la tronche m'était familier.

— Beaufrère!

— Nathan!

Nous nous entr'administrâmes de larges claques congratulatoires. Par quel invraisemblable concours de circonstances mon ancien professeur de littérature avait-il pu échouer à Littérapolis et opérer pareille métamorphose? On a beau dire que n'existent pas de sots métiers, la conversion d'un enseignant chevronné en cafetier néophyte ne s'apparentait-elle pas au cas d'un papillon régressant au stade coconifère?

Je n'y étais pas du tout. La nouvelle position de Beaufrère n'avait rien à voir avec une dégénérescence de ses tissus sociaux, mais relevait plutôt du conte de fées divers. Une vieille tante avait conçu l'idée, pour se venger de petits-enfants à trop longues dents, de refaire son testament en léguant son bas de laine à Beaufrère, neveu qu'elle ne connaissait ni d'Ève ni d'Adam. Ceci fait, la tante expira, couic, et le bas de laine révéla ses trésors: deux ou trois louis et des «biens immobiliers».

Ces biens se dénombraient précisément au singulier, c'est-à-dire ce modeste immeuble de trois étages au rez-de-chaussée duquel Beaufrère avait ouvert un petit bistrot d'habitués, le Café Aux Lettres. À y regarder de près, il était permis de s'interroger sur la qualité «immobilière» du bien: pour peu qu'une bourrasque le calinât, le frêle immeuble semblait flageoler sur ses fondations. Son étroitesse tenait surtout à ce que des champs vagues le flanquaient de part et d'autre. À quelques années d'intervalle, deux incendies majeurs s'étaient déclarés dans le Passage. Chacun avait grignoté son petit bout de pâté puis, apparemment rassasié, s'était miraculeusement arrêté à l'une et l'autre des murailles de l'immeuble. Cruel manque de pot pour le spéculateur à l'origine de ces flambées, la vieille tante avait catégoriquement refusé de se départir de sa chère vieille ruine — par solidarité, sans doute.

De l'aveu même de son patron, le Café Aux Lettres se voulait une manière de compromis entre deux ambitions contradictoires:

1) lire à longueur de journée sans être dérangé;

2) être dérangé, occasionnellement, par l'un ou l'autre de ses anciens étudiants, ou encore par un client égaré. Car seule une âme en peine, un somnambule, un aveugle ou un percepteur, s'aventurait dans le Passage des Cloportes, réduit discret à l'écart du chaos universel, garant de la quiétude dorée de ses indigènes.

Sur toute la longueur du mur opposé au zinc, des rayonnages couraient, croulant sous le poids de bouquins, antiphonaires, grimoires et gazettes. Derrière le zinc, alignés façon trophées, étaient suspendus des portraits d'écrivains plus ou moins connus, oulipiens illustres, pataphysiciens intègres et autres plaisantins notoires. Menuisier hors pair, Beaufrère avait conçu et créé lui-même l'ameublement de son café. Pourtant ces tables, ces chaises, toutes également bancales, ne paraissaient guère prêcher en faveur de son réel talent de bricoleur. Le fripon les avait ainsi faites à dessein, pour rendre à quiconque infernale l'absorption d'une tasse de café et décourager le potentiel habitué d'y jamais revenir.

Dans le dossier des chaises, Beaufrère s'était amusé à découper les silhouettes des vingt-six lettres de l'alphabet. Chaque consonne était représentée une fois, chaque voyelle au moins quatre fois, de manière à ce que certaines d'entre elles pussent s'ajourer de ces accents dont est friande notre langue: aigu, grave, circonflexe. Quand la salle était déserte — situation du reste assez courante —, ces étonnantes *alphachaises* recouvraient leur fonction première, la seule qui importât à Beaufrère: le jeu.

Le vieux gamin se mettait alors à caracoler d'un siège à l'autre, alignant, mélangeant, déplaçant, réagençant ses alphachaises, tout à l'ivresse de son jeu préféré: l'art pangrammatique — lequel, je te le rappelle aimablement, consiste à formuler la plus courte phrase qui soit en employant au moins une fois chacune des lettres de l'alphabet. Futile? Tout ce qui fait se remuer un tant soit peu le génie à des fins non sanguinaires ne saurait être tenu pour complètement futile. Utile? Rigoureusement, comme toutes les choses inutiles.

Tant pis s'il y avait un client assis dans la salle quand prenait à Beaufrère l'envie de se livrer corps et âme aux délices du jeu: qu'elles fussent ou non couronnées d'un postérieur, les alphachaises se baladaient d'un bout à l'autre du café avec une belle vigueur. Au début, pareille attitude avait nui aux recettes de Beaufrère, puis moins, puis enfin plus du tout, plus rien ne pouvant dès lors nuire à un chiffre d'affaires nul. Ce qui laissait au pseudo-bougnat toute la tranquillité requise par ses crises ludiques et l'apprentissage du maniement de la machine à café.

Informé de mes revers de fortune, Beaufrère m'offrit gîte et couvert sous les combles de l'immeuble, le temps que se régularisât ma situation. Le lendemain, il me recommandait à un *célèbre écrivain* qui, à en croire la rumeur, se cherchait un nouveau secrétaire (entendre un nègre). Le personnage en question était un vieux grigou aux cinq quarts sénile, dans l'impossibilité d'honorer le plantureux contrat le liant à son éditeur.

Bien que me dégoûtât souverainement l'idée de prêter ma plume au style de cet ampoulé cacochyme, je m'acquittai fort bien de cette première tache — je n'ose circonflexer le mot — à mon dossier. Le célèbre écrivain connut même une vogue nouvelle, franchement inespérée pour un gâteux de sa trempe. Je rempilai pour un second titre, tout aussi bien accueilli, puis un troisième. Ce fut le moment que choisit cette peau de vache pour crever.

J'écrivis encore deux titres, prétendument retrouvés dans le double fond d'une malle débusqué au grenier d'une villa désaffectée d'un bord de mer abandonné. Par la suite, il devint périlleux de faire avaler au public que le célèbre écrivain avait préféré garder inédits, par simple modestie, tant de si passionnants romans. Des bruits circulèrent, d'autant plus outrageants que parfaitement fondés... Nous résolûmes d'enterrer pour de bon le prolifique macchabée.

L'éditeur, navré, me jumela sans tarder à un autre célèbre écrivain. Cette seconde association n'alla pas sans heurts. J'éprouvais — et j'éprouve encore aujourd'hui — un mal fou à me débarrasser des morpions stylistiques que m'avait passés mon précédent négrier. Mon nouvel employeur, pas dupe, me faisait des scènes terribles en déchirant sous mon nez les feuillets adultères:

— Petite littérordure! Ton style empeste la fiotte! Tu as couché dans l'écrit d'un autre!

Il me lançait des presse-papier, des bustes d'Hugo, des injures choisies, la correspondance complète de Voltaire, me reniait, me damnait, me chassait, puis le lendemain m'expédiait aux matines de pleines brassées de roses, m'ensevelissait de chocolats fins, m'accablait de mots doux du genre oublie-tout-reviens-chou. J'essayais de me raisonner. Je tentais de me convaincre qu'il existait des manières encore plus douteuses de gagner sa vie (fisc! télé! pub! cul!), mais je finissais toujours par céder et reprendre le collier...

Notre association prit d'ailleurs fin avant que je n'eusse trouvé le moyen de la saborder. Mon écrivain rencontra tout bonnement, au Pastiche Club, lors d'un bien-cuit donné en son honneur, un jeune éphèbe talentueux qui, sitôt présenté à son futur bienfaiteur, se laissa ramener à sa nouvelle adresse dans une caisse coussinée, emballée, ceinte d'une faveur rose et garnie d'un chou d'anthologie. Le lendemain, j'étais saqué — en beauté, avec ronds de jambe, quasi-baisemains et... colossale indemnité.

Une fortune que j'eus cette fois le bon goût d'aller tout de go déposer au Crédit Picaresque — en retirant, assez bizarrement, de cette très banale opération une fierté que je ne me soupçonnais plus. Je me sentis délicieusement léger, aérien, affranchi: repenti.

Depuis, chaque jour, je vais saluer Beaufrère au Café Aux Lettres, discuter un brin de l'air du temps, commenter l'actualité. Je m'assieds au fond de la salle, sur mon alphachaise (le N, cela va de soi), et déploie sur la table feuilles, carnets, brouillons, torchons, fragments de sacs à papier kraft: le chantier de *mon* œuvre. Et je songe avec jouissance à l'époque où ce rituel représentait le moment sacré de mes journées: l'heure où, redevenant mon propre nègre, je m'affranchissais de l'esclavage auquel je me soumettais de mauvaise grâce.

Bonne ou mauvaise, ma production quotidienne aboutit dans ma corbeille privée, dont le fidèle Beaufrère gère soigneusement le fonds. La pensée que certains de mes textes, peut-être, lui plairont au point qu'il les rescapera suffit à me combler d'aise.

Je suis désormais libre, assez libre pour pouvoir enfin t'écrire et te redonner signe de vie, assez libre pour t'annoncer que je porte en moi un livre qui, je le sens déjà, remue et ne demande qu'à jaillir au grand jour et à la petite nuit...

Grand frère, je vais être écrivain.

Nathan

P.-S.: Ci-joint un billet de train première classe pour Littérapolis. Je t'attends à bras ouverts — et poings fermés. Je te connais, allez: j'aurai sûrement droit à une dent cassée pour chacune de mes années de silence!

* *
*